S0-AYS-253

Jej Królewska Mość
WISŁA

Her Majesty
the VISTULA

MIŁYM SĄSIADOM
PP. KRYSI - JACKOWI
I ARTURKOWI
STEFANOM
ŻEBY NIE ZAPOMNIELI
O POLSCE
OFIAROWUJE
DADUSIA
Z MĘŻEM
/W. BEWSZKO/

KRAKÓW - WRZESIEŃ 1985

SZYMON KOBYLIŃSKI

Jej Królewska Mość WISŁA

Her Majesty the VISTULA

INTERPRESS • WARSZAWA 1984

Opracowanie graficzne
Szymon Kobyliński

Na okładce
obraz Bernarda Belotta zw. Canaletto
„Widok Warszawy od strony Pragi"

Redaktor
Jadwiga Łoś

Redaktor techniczny
Wiesława Zielińska

Reprodukcja
Jerzy Myszkowski, Jerzy Sabara

Designed by
Szymon Kobyliński

On the cover: "View of Warsaw from the Praga District" by Bernardo Bellotto called Canaletto

Translated by
Doris Ronowicz

Production editor
Wiesława Zielińska

Reproductions by
Jerzy Myszkowski and Jerzy Sabara

SPIS TREŚCI

Rozdział 1.
Wpływamy na Wisłę 9
Rozdział 2.
Trochę o Krakowie 30
Rozdział 3.
Od Krakowa do Sandomierza 51
Rozdział 4.
Migawka z Sandomierza 71
Rozdział 5.
Od Zawichostu do Pilicy 78
Rozdział 6.
Warszawa i jej świta 98
Rozdział 7.
Od stolicy do morza 117

CONTENTS

Chapter 1.
We Set off down the Vistula 9
Chapter 2.
A Little about Cracow 30
Chapter 3.
From Cracow to Sandomierz 51
Chapter 4.
A Few Snapshots of Sandomierz 71
Chapter 5.
From Zawichost to the River Pilica 78
Chapter 6.
Warsaw and Her Retinue 98
Chapter 7.
From the Capital to the Sea 117

SZYMON KOBYLIŃSKI (ur. 1927 w Warszawie) studiował w warszawskiej Akademii Sztuk Pięknych, m.in. grafikę u Tadeusza Kulisiewicza, oraz historię sztuki na Uniwersytecie Warszawskim. Jest ilustratorem, karykaturzystą, a także publicystą piszącym, znanym także szeroko, nawet popularnym dzięki swoim występom w telewizji.

Używając zarówno warsztatu plastycznego, jak dziennikarskiego (przy czym bywa także scenografem, malarzem, tekściarzem, plakacistą, gawędziarzem, bronioznawcą-konsultantem, krytykiem sztuki, badaczem obyczajów, pedagogiem oraz obrońcą środowiska naturalnego) działa najchętniej jako popularyzator nauki, zwłaszcza historii i przyrody. Wydał w kraju i za granicą kilkanaście własnych książek, od wspominkowych (*Jak dobrze mieć sąsiada*, a obecnie w druku: *Zbrojny pies i Noniusz*) przez socjologizujące (*Krótka o hymnie, orłach i barwach gawęda*, w druku: *Mała księga przesądów*, *Dzieje sztuki*) do satyrycznych (zbiory karykatur typu cartoons: *Entschuldigen's*, *Irre Geschichten* w RFN, *Eskapaden* w NRD, *Proch o ścianę*, *Śmiechu warci* i *Mówiąc między nami* w Polsce). Zilustrował ponad dwieście książek, tak beletrystycznych (np. *W pustyni i w puszczy* Sienkiewicza) jak naukowych (*Teoria wielkich liczb* Hugo Steinhausa, *Bakteriologia* Goldfingera-Kunickiego, *Od liczb zespolonych do tensorów, spinorów i algebr Liego* Komorowskiego, seksuologia, archeologia, medycyna, teoria kwantów etc.), czy science-fiction (Lem, Thor, Trepka-Boruń itd.). Z drem Mateuszem Siuchnińskim wydał *Ilustrowaną Kronikę Pola-*

SZYMON KOBYLIŃSKI (born 1927 in Warsaw) studied graphics under Tadeusz Kulisiewicz at the Warsaw Academy of Fine Arts and Art History at Warsaw University. He is an illustrator, caricaturist and cartoonist, and also a journalist who is widely known and popular thanks to his television appearances.

As someone who has at different times been a stage designer, painter, scriptwriter, poster artist, raconteur, weapons expert and consultant, art critic, observer of human behaviour, teacher and defender of the natural environment, he uses his artistic and journalist skills most readily to popularise academic studies, especially in the field of history and nature. He has published a dozen or more books, both in Poland and abroad: memoirs like *Jak dobrze mieć sąsiada* (How nice to have a neighbour) and *Zbrojny pies i Noniusz* (The armed dog and Nonius) which is at the moment at press; books verging on sociology like *Krótka o hymnie, orłach i barwach gawęda* (A short chat about the national anthem, eagles and colours) or *Mała księga przesądów* (A small book of superstitions) and *Dzieje sztuki* (History of art) which are currently at press; satire like the cartoon collections *Entschuldigungen's* and *Irre Geschichten* in the Federal Republic of Germany, *Eskapaden* in the German Democratic Republic, and *Proch o ścianę* (Powder against the wall), *Śmiechu warci* (Worth a laugh) and *Mówiąc między nami* (Speaking between ourselves) in Poland. He has illustrated more than two hundred books, fiction, like Sienkiewicz's *W pustyni i w puszczy* (In desert and

ków, wedle całkiem własnych dociekań opracowuje *Poczet książąt i królów polskich wg Jana Matejki.* Od przeszło 20 lat jest felietonistą prasowym.

Jest także kawalerem wysokich odznaczeń państwowych, a obok nich Medalu Komisji Edukacji Narodowej oraz – przyznawanego z inicjatywy dzieci – Orderu Uśmiechu za działalność telewizyjną i plastyczną. Wielokrotnie nagrodzony na międzynarodowych i krajowych wystawach karykatury, miał w Polsce i poza nią około 100 wystaw indywidualnych. Zdarzyło mu się również nakręcić – samodzielnie lub w teamie – kilka filmów animowanych o charakterze popularnonaukowym. Jest gruby i rudobrody, ma żonę malarkę i syna scenografa.

wilderness); academic studies including Hugo Steinhaus' *Teoria wielkich liczb* (Theory of large numbers), Goldfinger-Kunicki's *Bakteriologia* (Bacteriology) and Komorowski's *Od liczb zespolonych do tensorów, spinorów i algebr Liego* (From compound numbers to tensors, spinors and Lie algebras), and works on sexuology, archaeology, medicine, quantum theory etc.; or science fiction (Lem, Thor, Trepka-Boruń etc.). He published the *Ilustrowana Kronika Polaków* (An illustrated chronicle of the Poles) with Dr Mateusz Siuchniński and the *Poczet książąt i królów polskich wg Jana Matejki* (The body of Polish princes and kings according to Jan Matejko), according to his own research and ideas. He has had regular columns on the press for the past twenty years.

He has received the highest state awards and also the Medal of the Commission of National Education and the Order of Smile awarded at the suggestion of children for his work in television and art. He has been awarded many prizes at exhibitions of cartoons both in Poland and abroad, and has held all about 100 one-man shows. He has also made several popular scientific cartoon films – alone or as part of a team. He is fat and has a red beard; his wife is a painter and his son is a stage designer.

Rozdział 1

WPŁYWAMY NA WISŁĘ

W normandzkiej restauracyjce o bagatelizującej Kanał La Manche nazwie „Przesmyk" – „Detroit", z której okien widać podczas dobrej pogody nawet białe brzegi Albionu, przy sakramentalnym winie śpiewano dawne piosenki inicjowane przez rześkiego staruszka w berecie. Sędziwy tenor, niegdyś podobno uświetniający paryską operę, paru lokalnych „oraczy morza", kilkoro przypadkowych letników i ja – co do którego cudzoziemskości nie było wkrótce złudzeń, choć tak bardzo byłem dumny ze swego francuskiego akcentu. „Skąd pan jest?" pytano, a odpowiedziawszy, że z Polski, dałem im od razu zagadkę, wykorzystując fizyczną mapę Europy rozpiętą na ścianie: gdzież ona, ta Polska? Gdy próbowano trafić palcami w ów egzotyczny kraj, dłonie szukających błądziły kędyś od krańca Finlandii aż po Bałkany i wiedziano tylko, że „to daleko! *C'est très loin!*"... Nazwy naszej głównej rzeki nikt już podać nie potrafił.

Chapter 1

WE SET OFF DOWN THE VISTULA

Over the ritualistic glass of wine in a little Norman restaurant called "Detroit", meaning "straits" – which is a deprecating reference to the English Channel – since from its windows one could see on a fine day the white cliffs of Albion, they were singing old songs, led by a hale old man in a beret. There was this elderly tenor, said to have been a leading light of the Paris Opera, several local "sea-churners", a few holiday makers who happened to have dropped in, and, of course, I was there. It was not long before they discovered I was foreign in spite of the French accent I was so proud of. "Where are you from?" I was asked, and when I said "From Poland" I gave them a tricky puzzle to solve with the help of a map of Europe hanging on the wall. "Where is it? Where's Poland?" Fingers wandered over the map seeking that exotic country, landing anywhere from the tip of Finland to the Balkans. And all they knew was "It's a long way away. *C'est très loin*"... And nobody could tell me the name of our chief river.

Zaglądam teraz do najpopularniejszej i najpiękniejszej encyklopedii rodaków Asterixa – i rozgrzeszam Gallów z normandzkiego „Detroit". Jakże bo ich winić, jeśli *Grand Larousse Universel* ma o Wiśle *(Vistule)* do powiedzenia niewiele ponad to, że mija ona tylko cztery miasta: *Cracovie, Sandomir, Varsowie* i *Marienbourg*, że ma tylko dwa dopływy, czyli *Piliva* – zamiast Pilica – i *Narev*. Jako wiadomość najniezbędniejszą tyczącą głównej rzeki podano (w jedenastu wierszach na szesnaście ogółem) takie oto najważniejsze dane: mianowicie na linii Wisły toczyły się z początkiem zeszłej wojny walki między Prusakami i armią carską, bitwa główna zaś, w której dowodzili – trzeba widocznie te dane spamiętać w związku z Wisłą! – z jednej strony książę Mikołaj Mikołajewicz, a z drugiej feldmarszałek Hindenburg, odbyła się, *mesdames-messieurs,* 13 października 1914 roku. Tu już koniec całej erudycji Laroussa o Wiśle, dalej idzie hasło *visualisation.*

W zasłużonej, starej polskiej encyklopedii (konkretny tom „od litery U do Yvon" wyszedł w 1903 roku) Samuela Orgelbranda i Synów zawiera się pięknie malowniczym stylem spisana rzecz o Wiśle: „WISŁA (u starożytnych *Vandalus*, po łac. *Vistula*, po niem. *Weichsel*), największa z rzek polskich, główna droga spławna ziemiopłodów od Karpat do morza Bałtyckiego" etc. etc. – i następnie: „... bije z trzęsawiska torfowego, a woda zbierająca się w jedno ściekowisko, zwane *wykap ze smereku* (świerku) stanowi początek Czarnej Wisły". Dzieje się to na stokach góry Baraniej w południowo-zachodnim zakątku Polski, zrozumiawszy zaś, czemu Czarna zwie się Czarną, gdy wypływa z torfowisk i ciemnych komyszy, czytamy o Białej, zeskakującej pienistymi kaskadami opodal. „Oba te źródła – ciągnie Orgelbrand – kilkadziesiąt stóp poniżej urastają w potężne potoki, które z szumem i hukiem po ogromnych złomach kamieni i kłodach drzew przewalają się w głębokiej dolinie korytem 10 stóp szerokim i łączą się pod wsią Wisła z poto-

Looking it up in that fine, most popular encyclopaedia of Asterix's fellow countrymen, I had to forgive the Gauls of "Detroit" in Normandy. How could one blame them, if the Grand Larousse Universel has nothing more to say about the Vistula *(Vistule)* than the fact that it only flows through four towns: *Cracovie*, *Sandomir, Varsovie* and *Marienbourg,* that it has only two tributaries, namely the *Piliva* (instead of the Pilica) and Narev. The most important data concerning Poland's chief river (in eleven lines out of a total of 16) consisted of the following facts: that battles were fought at the beginning of World War I between the Prussians and the tsar's army along the line of the Vistula, that the main battle in which the forces were commanded – this being something to remember in connection with the Vistula – on the one side by Grand Duke Nikolai Nikolaevich (Nicholas) and on the other by Field Marshal Hindenburg, was fought, *mesdames–messieurs,* on 13 October 1914. And that was all Larousse had to say on the subject of the Vistula. The next article was *visualisation.*

In the merited old Polish encyclopaedia (vol. "U" to "Yvon", publ. 1903) of Samuel Orgelbrand and Sons there is a beautifully picturesque article on the Vistula: "WISŁA (antique *Vandalus,* Latin *Vistula,* German *Weichsel*), the chief Polish river, main waterway for transport of land produce from the Carpathians to the Baltic Sea, etc., etc." and then: "...it springs from a peat bog and the waters gathering into one stream called *spruce drip* constitute the source of the Black Vistula...", the source being on the slopes of the mountain called Barania Góra in the south-west of Poland. And having realized that it is called the Black Vistula because it flows from a peat bog we go on to read of the White Vistula, a foaming cascade springing out of the mountainside nearby. "Some fifty feet lower down," continues Orgelbrand, "both springs grow into powerful torrents, rushing and roaring over boulders and fallen trees into a deep valley where their beds widen to ten feet and near the village of Wisła they join the stream

kiem *Malinka"*. I tak dalej, i tak dalej przez cały kraj, naówczas – gdy to pisano – pozostający pod trzema obcymi berłami i właśnie linią potężniejącej z biegiem wód rzeki połączony w jedną całość, w Polskę.

called *Malinka*." And so on and so forth through the whole country, which at the time when the encyclopaedia was written was ruled by three different monarchs, and the course of the Vistula as it gathered waters and became stronger linked this land into one whole, into Poland.

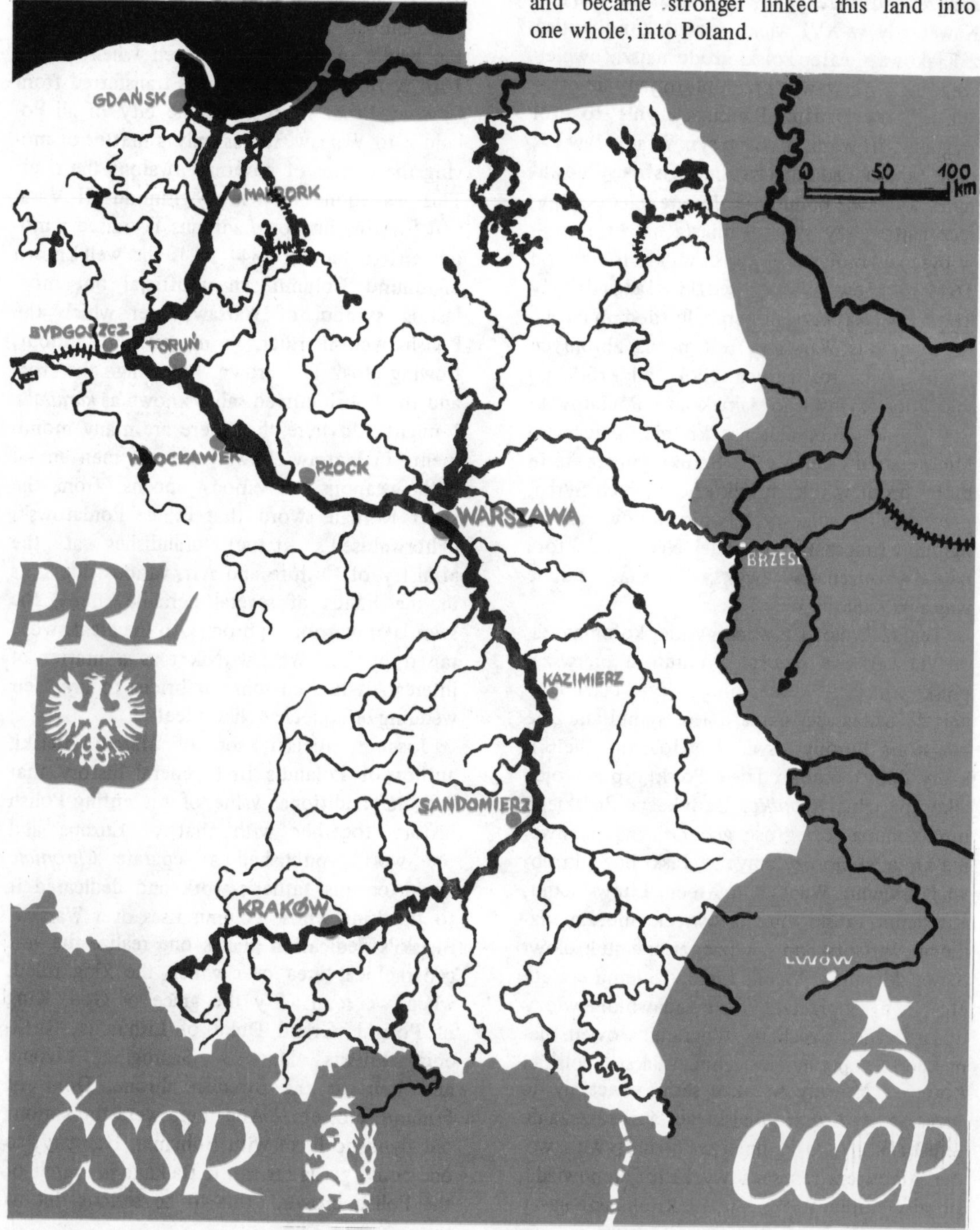

Nic więc dziwnego, że zwano ją od dawien dawna królową rzek, gdyż w istocie – obszar spływu obejmuje dziedziny najrdzenniej polskie, niby władza monarchów, jednoczących niegdyś te ziemie pod swój majestat, niemal zawsze nad brzegiem Wisły siedzibę mający. Nawet gdy w XVI wieku przenoszono stolicę z Krakowa, „całej Polski grodu najszacowniejszego" do Warszawy, przesunięto jedynie ośrodek rządów wzdłuż Rzeki. Uczynił to król Zygmunt III Waza, za co mu syn, Władysław IV, przy Zamku, nad samą właśnie Wisłą usytuowanym, wystawił pomnik–kolumnę, nieoficjalny, lecz najtrwalszy symbol miasta, na którym – w pysznej zbroi, sutym płaszczu i koronie – od 1644 roku ów polsko-szwedzki władca dzierży krzyż i polską, krzywą karabelę (dodam nawiasem, że dziś Warszawa jest pełna zbrojnych pomników z rozmaitych epok, od krótkiego mieczyka rzymskiego, jaki książę Poniatowski w rzeźbie Thorvaldsena kieruje przeciwko Ministerstwu Kultury i Sztuki, przez serię białej broni w rękach kilku herbowych Syren, przez szable spiżowych wojowników, aż po ogromny miecz Warszawskiej Nike, pod którą pary nowożeńców zwykły składać ślubne wiązanki kwiatów).

Temuż królowi z warszawskiej kolumny zadedykował swe dzieło syn autora pierwszej polskiej historii powszechnej – tym także cennej, że ukazującej nasze dzieje symultanicznie z historią Europy i świata – Joachim Bielski, który dobył osobno dzieje Polski z pracy ojca jako specjalną *Kronikę*. Dedykacja Bielskiego uprzytomnia rozległość geograficzną panowania króla, skoro czytamy: „z łaski bożej królowi Polskiemu, Wielkiemu Xięciu Litewskiemu, Ruskiemu, Pruskiemu, Mazowieckiemu, Żmudzkiemu, Inflantskiemu, y dziedzicznemu królowi Szwedzkiemu, a Xięciu Finlandzkiemu etc etc etc". A były przecież różne zadawnione więzy dynastyczne z Czechami, Węgrami, słowem niemal po Bałkany można jechać, szukając polskiej korony... Mówmy wszakże serio, wracajmy do przesławnej *Kroniki* Bielskiego, a zwłaszcza do tematu Wisły, co najmniej zaś do motywu... wody. Albowiem renesansowy historyk powiada, sięgając biblijnego Potopu, iż „kronikarze naszy

So it is not surprising that for as long as people can remember the Vistula had been called the queen of rivers, for the area it flows through is the most truly Polish; it is the sphere of power, as it were, of the monarchs who once united all these lands under their majesty and almost always built their seats along the banks of the Vistula. Even when, in the 16th century, the capital was transferred from Cracow, "that most venerable city of all Poland", to Warsaw, it was only a matter of moving the centre of government along the river. This was done by King Sigismund III Vasa; and for this his son Ladislaus IV raised a monument to him in 1644. It is the well-known Sigismund Column, an unofficial but most lasting symbol of Warsaw, over which the Polish-Swedish ruler, in magnificent armour, flowing cloak and crown, holds high the cross and the Polish curved sabre known as *karabela*. I might add here that there are many monuments in Warsaw showing famous men armed with weapons of various epochs, from the short Roman sword that Prince Poniatowski (Thorwaldsen's statue) brandishes at the Ministry of Culture and Art, various side-arms in the hands of several heraldic sirens, the swords of warriors in bronze, to the great sword raised by the Warsaw Nike; as a matter of interest, it is a custom for brides to lay their wedding bouquets at Nike's feet.

Joachim Bielski, son of Marcin Bielski, author of Poland's first general history that had the additional value of presenting Polish history together with that of Europe and the world, published a separate *Chronicle* based on his father's work and dedicated it to the king whose column rises over Warsaw. Bielski's dedication makes one realize the vast geographical area over which the king ruled, when we read: "By the grace of God, King of Poland, Grand Duke of Lithuania, Ruthenia, Prussia, Mazovia, Samogitia, Livonia and heir to the Swedish throne, Duke of Finland, etc. etc." And there were the various old dynastic links with Bohemia, Hungary, so one could go as far as the Balkans in search of the Polish crown... But to be serious, let us

starzy początek Narodu Naszego Słowieńskiego wywodzą naprzód od Japheta, syna Noego..."

Dalej zaś głosi: „... drudzy długą genealogię prowadzą, przychodząc aż do Alana Wtórego, który naprzód do Europy tu przyszedł, tenże miał czterech synów, między któremi był najstarszy V a n d a l u s, od którego rzeka Wisła tym imieniem jest nazwana, y Wandalitowie poszli". Rzecz jasna, Bielski powołuje się na grubo wcześniejszych historyków z tak zwanym Anonimem, Gallem pono z pochodzenia, na czele, jeśli zaś pozwalam sobie nie po tamtych pisma, ale po mistrza Marcina opracowanie tu sięgać, to – przyznam się po cichu – z całkiem prywatnej do tego właśnie pisarza sympatii, po pierwsze z tej przyczyny, że pod swoim wizerunkiem umieścił moje ulubione hasło „Przeciw prawdzie rozum nie", po wtóre zaś dlatego, iż Bielski parał się satyrą, ośmielam więc się czuć w nim swego przodka duchowego.

return to Bielski's famous *Chronicle*, and above all to our subject, the Vistula or at least to the motif... of water. For the Renaissance historian tells us, referring to the Bible story of the flood, that "our old chronicles have traced the origins of Our Slav Nation back to Japheth, son of Noah..."

He goes on to say: "Others trace a long genealogical line back to Alan II, who came to Europe first; he had four sons, one of whom was Vandalus, after whom the Vistula was given its old name, and the Vandals went." Of course, Marcin Bielski was quoting historians of a much earlier age, headed by one Anonymous, said to have been of Gallic origin. And if I do not choose those writings, but the work of Marcin Bielski, I have to admit here that it is because I have a personal, very private reason for liking that chronicler, firstly because he had my favourite motto "Reason is powerless against truth" placed under his likeness. Secondly, Bielski was a satirist so I make so bold as to regard him as my spiritual ancestor.

Bielski, sięgając do czasów legendarnych (gdyż dopiero kadencję Mieszka Pierwszego, a więc lata mniej więcej 963-992 nauka uznaje za udokumentowaną należycie, źródłowo) pisze o nieokreślonej epoce przed Mieszkiem, gdy „człowiek jeden zacny y roztropny, który też był jednym z Wojewodów, a był z narodu Polskiego, imieniem Krok, miał swoją dzierżawę nad Wisłą, trzynaście mil od tego miejsca, gdzie się zaczęła. ... Polacy wybrali go na Monarchią, chocia się długo z tego wymawiał, aż za prośbami wszystkich ledwo to uczynił. Y nie omylili się na nim: bo wnet jął się pilno starać, iakoby zasię Rzeczpospolitą upadłą naprawił y odpędził nieprzyjaciele od granic, zwłaszcza Rzymiany y Niemce..."

Rzymiany! Ich szlak, bursztynowym zwany, przecinał górny bieg Wisły w istocie, może nawet owe „trzynaście mil" ogarniając po drodze, był wszakże – mówiąc z grubsza i najogólniej – traktem handlowym, czego liczne znaleziska archeologiczne, zawierające przedmioty nadtybrzańskie, walnym dowodem na naszych ziemiach. Zresztą nie tylko Rzymianie, ale i Grecy zerkali byli w te strony. W *Nauce geograficznej* Ptolemeusz wymienia jedną ze stacji „szlaku bursztynowego" Adriatyk–Bałtyk, czyli gród Calisia, obecnie zwany Kaliszem – a nadal sławny, skoro zeń pochodzą: wielka pisarka Maria Dąbrowska, czołowy grafik polski Tadeusz Kulisiewicz, oraz stąd właśnie idą w szeroki świat wyborne pianina marki „Calisia".

Marcin Bielski, going back to legendary times (for scholars only recognize the rule of Mieszko I, that is 963–992, as being the earliest reliable source), writes of the times before Mieszko of which little is known, when "a certain worthy and prudent man, who was one of the voivodes, a son of the Polish nation, called Krok, ruled over the land on the Vistula 13 miles from its source... The Poles would fain have had him as their Monarch, and although for a long time he declined, in the end, at the request of all, he agreed. And they were not mistaken about him, for it was not long before he made great endeavours to raise the declining Respublica and drove our enemies from our frontiers, particularly the Romans and the Germans..."

The Romans! Their track, known as the amber route, did indeed cross the upper reaches of the Vistula, perhaps even taking in those "thirteen miles" on their way, for it was, speaking very generally, a trade route, a fact that is proved by the many archaeological finds, including objects from the land on the Tiber, unearthed from our soil. And it was not only Romans. The Greeks had their eye on those parts too. In his *Guide to Geography*, Ptolemy mentions one of the stopovers on the Adriatic-Baltic "amber route", namely the fortified settlement of Calisia, today the town of Kalisz. And it is still famous, as the birth place of the famous writer Maria Dąbrowska and one of Poland's leading graphic artists Tadeusz Kulisiewicz, not to mention the excellent pianos with the "Calisia" trade-mark which are sent from there all over the world.

Wracajmy wszakże do opowieści Bielskiego: „Ten to Krok założył miasto nad rzeką Wisłą, a od swego imienia nazwał je Kroków, potym je Kraków nazwano. Nie od rzymskiego Grachusa, jako starzy pisali, bo tu nigdy nie byli Grachusowie z Rzyma, ale to był Krok Słowieńskiego narodu, z potomstwa Czechowego jeszcze, bo się te narody miłowały na ten czas bardzo. ... To miasto na ten czas niewielkie było, lecz z małych początków przyszło do tego, że dziś z Niemieckimi y Włoskimi przedniejszymi miasty może wielkością, dostatkiem i ochędostwem zrównać. ... Siedzi na mieyscu bardzo obronnym w równi, a między bagny, y nie masz do niego przystępu, jedno od Kleparza, a bardzoby snadnie wodą go obwiódł. Gdy się na nie z góry Zwierzynieckiej poźrzy – bo stamtąd najlepiej mu się przypatrzy – jest coś podobnego do Lutnie, okrągłością swą, a Grodzka ulica y z Zamkiem jest iako szyia u lutnie właśnie. Ma też coś podobnego do Orła, którego głowę reprezentuje Zamek, Grodzka ulica szyję, Przedmieścia zasię około niego są iako skrzydła jakie."

But to return to the story told by Bielski: "Krok founded a town on the Vistula naming it Kroków after himself. Later the town was called Kraków. It was not named after the Roman Gracchus as the old chroniclers would have it, for no Roman Gracchi were ever there, only the Slav Krok, who came of a Bohemian family, for in those days these nations held dear each other... The town was small in those times, but from these modest beginnings it grew into one that could equal the finest cities of Germany and Italy as regards size, wealth and beauty... It is well situated for defence on flat ground surrounded by bogs, so there is no access to it but from Kleparz; it is surrounded by water. Looking at it from Zwierzyniecka Hill – for it is from there that you get the best view – it looks rather like a lute, being pear-shaped with Grodzka street and the Castle as its neck. It is also somewhat reminiscent of an eagle, the castle representing its head, Grodzka street its neck, while the suburbs surrounding the town are like wings."

Ciągnąc wątek Kroka vel Kraka napotykamy pierwszą z fundamentalnych legend, o smoku wawelskim mianowicie: „Piszą starzy kronikarze, iż pod tą gorą [zamkową] Wawel, był Smok wielki, który troje dobytka razem zjadał [czyli trzy sztuki bydła na raz – S.K.], także y ludzi kradł y iadł, przeto musieli mu dawać obrok, każdy dzień troie cieląt abo baranów. Kazał tedy Krok nadziać skórę cielęcą siarką a przeciw iamie położyć rano, co uczynił za radą Skuby Szewca niejakiego, którego potym dobrze udarował i opatrzył. On wyszedłszy z iamy mniemał by cielę pożarł razem, gdy to w nim tlało tak długo, pił wodę aż zdechł. Jest ieszcze iego iama pod zamkiem, zowią smoczą iamą". Po wielu latach wzmacniania kruszejącej wapiennej skały jama ta została ostatnio udostępniona, jak dawniej, wycieczkom zwiedzającym Kraków, a przed pieczarą stanął żelazny, groźny smok, któremu z paszczy – o ile się agregat nie popsuje – zionie efektowny płomień syczącego gazu, na pamiątkę onej siarki, co naszej rodzimej Nessie przed stuleciami tak bardzo zaszkodziła. Co zaś tyczy Skuby... Ha! Choć był to, jak baśń głosi, prosty szewczyna, dalszych wieści o nim należy szukać w herbarzach opisujących najstarsze rycerskie, szlacheckie znaki rodowe. Dawni heraldycy bowiem, tłomacząc pochodzenie najsędziwszego niemal z polskich klejnotów familijnych – właśnie Skubą zwanego – powiadają, że król Krak, podnosząc szewca do godności, nadał mu ów herb, gdzie w białym polu widnieje czerwono coś na kształt litery W – rzekomo od wyrazu Wawel, siedziby Kraka się wiodące. Onże obiekt powszechniej nazywamy Abdankiem, a to z przyczyny innej postaci, już historycznej, mianowicie Jana z Góry, znanego potem z przezwiska Skarbek, którego to, jako prominenta dworu wawelskiego, wysłał w roku 1109 król Bolesław Krzywousty w poselstwie do cesarza niemieckiego, Henryka, w celu ustalenia warunków „zbrojnego pokoju". Oddajmy teraz głos heraldykowi Niesieckiemu, który opisuje końcową scenę negocjacji między monarchą a polskim rycerzem, Skubą się właśnie pieczętującym:

Przy ukończonej umowie, gdy Henryk ostre stawiał warunki, a na poparcie tychże ogromne

To continue the story of Krok, also known as Krak, we come to the first of the fundamental legends, namely, the one about the Wawel dragon: "The old chroniclers write that there was a huge dragon living under Wawel Hill [where the castle stands] that could eat three oxen at one go, and was also known to catch people and eat them. So the people had to supply him with three calves or sheep every day. Krok gave orders for a calf's skin to be stuffed with sulphur and put it before the dragon's cave in the morning. He did this on the advice of a certain cobbler named Skuba, whom he richly rewarded afterwards. When the dragon came out of his cave he ate what he thought was a calf, sulphur and all, and felt a terrible burning in his stomach. He then started drinking water and went on drinking till he dropped dead. His cave can still be seen under the castle. It is known as the dragon's cave." After many years the crumbling limestone of the cave was reinforced, and just recently, as formerly, the cave has been opened to the public and is visited by excursions coming to Cracow. A fierce looking iron dragon now stands in front of the cave, from whose jaws – if the machinery is working – comes fiery breath, a hissing jet of flaming gas, in memory of the sulphur that gave our native monster such a bad stomach ache in bygone days. And what about Skuba? Ha! Although, as the legend tells us, he was only a simple cobbler, further information about him must be sought in the books of the oldest armorial bearings. For the old heraldic recorders, writing of the origin of the one of the oldest Polish family crests – known as the *Skuba* – say that King Krak, in knighting the cobbler, conferred on him this coat-of-arms, where on the white field is something red resembling the letter "W", said to be from the word "Wawel" that is, King Krak's royal castle. This kind of coat-of-arms with a "W" on the field is generally called Abdank, and this is connected with quite another person, namely the historical figure, Jan of Góra, later commonly known by the nickname Skarbek (derived from *skarbiec*, meaning treasury), a courtier

skarby okazał, mówiąc do niego: *Hic perdomabit Polonos**, otóż ów Jan z Góry zdjąwszy swój pierścień z palca, rzucił go w skarbiec, rzekłszy z powagą: *aurum auro addimus* – przekłada się to tradycyjnie „Idź złoto do złota" i uzupełnia dodatkiem „my Polacy kochamy się w żelazie!". Cesarz, chcąc to ludzkością (wyrozumiałością) pokryć, rzekł mu na to z niemiecka: *Hab-dank*, dziękuję, od czego ów Jan Skarbkiem został nazwany – herb Skuba zaś zyskał miano herbu *Abdank*. Ile w tym ściślej, naukowej prawdy, nie dochodźmy zbyt dokładnie, liczy się tradycja baśniowych gestów.

* To pokona Polaków.

sent by King Boleslaus the Wrymouth as an envoy to the German emperor Henry V in 1109 to negotiate the conditions of an "armed peace". This is what the heraldic book of Niesiecki says about the final scene of the negotiations between the emperor and the Polish knight bearing the Skuba coat-of-arms:

At the end of the negotiations, when Henry imposed hard conditions and, to support his arguments, displayed his rich treasury, saying *Hic perdomabit Polonos**, Jan of Góra took a ring off his finger and threw it into the treasure chest saying solemnly: *Aurum auro addimus* [this is traditionally translated as "Go gold to gold" – adding the remark "We Poles love iron"] and the German monarch, wishing to offset this gesture with benevolence, thanked him in German saying: *Hab-dank*. And that is how Jan got the nickname of Skarbek. Thus the Skuba coat-of-arms assumed the name or *Abdank*. We shall not go into the question of how much exact, scientific truth there is in this explanation; it is the traditional legendary gesture that counts.

* That will beat the Poles.

Kolejną legendą jest przypowieść o Wandzie, której imię wyraźnie kojarzy się z owymi mitycznymi Wandalami i z rzeką Wandalus, czyli Wisłą właśnie. Miała ona być jakoby córką Kroka vel Kraka, założyciela miasta-stolicy (choć w istocie pierwotna stolica Polski, Gniezno, straciła swą czołową rolę w późniejszym czasie na rzecz podwawelskiego grodu). Trzeba wszakże zacząć od braci naszej bohaterki, czyli ponownie zajrzeć do *Kroniki* Bielskiego, gdzie za wcześniejszymi dziejopisami autor powtarza:

„... [Król Krok] starzawszy się jako trzeba, umarł, zostawiwszy dwu synów po sobie, Kroka y Lecha, y córkę Wandę... Po śmierci Krokowej, gdy na tym była rzecz, żeby [młody] Krakus syn jego jako starszy panował po oycu swym, zabił go brat młodszy w łowiech potaiemnie y powiedział przed wszystkimi, że go wieprz okrutnie przygodnie obraził [uszkodził, zabił], a żeby ludzie w tym wiarę dawali, płakał, suknią jego krwawą ukazując. Uwierzyli ludzie, y onego za Pana sobie obrali. Lecz iako żadna rzecz zła nigdy się nie zatai, gdy się tego dowiedzieli ludzie, że on brata swego zabił, chcąc aby sam panował, zaraz zrucili go z państwa y precz od siebie wygnali. Piszą drudzy, że nie wygnali, ale on będąc od wszystkich opuszczony y wzgardzony, od smutku y z żalu wielkiego umarł, albo się sam zabił" – co dowodzi zarówno odwieczności reguły stosowanej w klasycznym westernie, gdzie czarny charakter musi przykładnie ponieść karę, jak i powszechności wątków legendarnych o dwu braciach, od Kaina i Abla, przez Romulusa i Remusa, aż do parzystego mrowia podobnych duetów we wszelkich niemal podaniach na całej kuli ziemskiej. Niezależnie od motywu skrwawionej szaty jako dowodu rzeczowego rzekomej napaści dzikiego zwierza, co spotykamy w opowieści o biblijnym Józefie, w mitach Międzyrzecza, w stu innych moralitetach ludzkości.

Została tedy Wanda, a „Było na ten czas Xiążę Niemieckie Rytigerus, ten posłał do niej Dziewosłęby [swatów], żądając i prosząc aby iego małżonką była. Ale ona żadnym obyczajem nie chciała, mówiąc: wolę sobie być wolną, niż żoną Xiążęcą. ...Gdy tego nie mógł odzierżeć, chciał ją gwałtem do tego przypędzić, ze-

The second legend is about Wanda, whose name has a clear association with the mythical Vandals and the river Vandalus, or in other words, the Vistula. She is said to have been the daughter of Krok, otherwise Krak, founder of the capital city (though actually the first Polish capital was Gniezno which later lost its important position to Cracow). We shall begin our story from our heroine's brothers, so let us look again at Bielski's *Chronicle*, where the author quotes after earlier chroniclers:

"...[King Krok] as is the human lot, grew old and died leaving two sons, Krok and Lech, and a daughter Wanda... After Krok's death, when according to custom the young Krakus (Krok) as the eldest son was to rule after his father, the younger son Lech secretly killed him while they were out hunting and told everybody that he had been killed by a boar.

brał woysko przeciw niej, ona też przeciw iemu. Pisze Vincentius Chadłubek, iż go poraziła. Ale Długosz pisał, iż mu jego rycerstwo tego broniło, mówiąc: co za sławy nabędziesz, że z białogłową będziesz walczyć, my tobie tego pomagać nie będziemy, bobyśmy wiecznej hańby nie uszli. Potym się sam zabił. Ona też, iako była poślubiła swój dziewiczy stan swoim Bogom, dosyć temu uczyniła y zskoczyła z mostu w Wisłę u Krakowa: y tak utonęła. Ciało iey naleziono na brzegu, gdzie Dłubnia rzeka wpada w Wisłę, tamże górę takowąż usypano na iey grobie, iako y oycu iey, w mili od Krakowa. Wieś potym przezwano blisko grobu iey Mogiła".

To make his story more convincing he wept and showed everybody the blood-stained clothing of his brother. The people believed him and chose him as their ruler. But as is known, the truth will out, and when the people discovered that he had murdered his brother to gain the throne for himself, they banished him from the country. Other sources say that he was not banished, but being deserted and despised by everybody, he died of great sorrow and regret or took his own life." We have here an example of the eternal rule applied in classic Wild West films, where the villain must suffer just punishment, and the continually recurring legendary motif of two brothers, from Cain and Abel, Romulus and Remus, to the multitude of similar duets in almost all the legends of the world. Not to mention the motif of blood-stained robes as a proof of the alleged attack of a wild beast, which is to be found in the biblical story of Joseph, in the myths of Mesopotamia and in a hundred other morality plays.

There remained Wanda, "and there was a German prince called Rytigerus, who sent match-makers to her asking and requesting her to be his bride. But she would not hear of this saying: 'I would rather be free than the prince's wife.' Having failed to attain his desire this way he decided to abduct her, leading an army against her. She gathered an army against him too. Vincentius Chadłubek [Kadłubek] writes that she defeated him. But Długosz writes that his knights refused to fight saying: 'What dishonour to fight against a lady, we will not help you for we should never live down the disgrace of it.' On hearing this, Rytigerus killed himself. Wanda, too, for she had made a vow to her gods that she would remain a virgin and having kept her vow, jumped off a bridge in Cracow into the Vistula and was drowned. Her body was found by the bank of the river where the River Dłubnia flows into the Vistula and a memorial mound was built there, like the mound built for her father, a mile from Cracow. The nearby village was afterwards called Mogiła (Tomb)."

I na terenach tejże wsi Mogiła po ostatniej wojnie powstał olbrzymi kombinat hutniczo–metalurgiczny, Huta imienia Lenina, oraz rosnące wciąż miasto u bram Krakowa, Nowa Huta. Co zaś tyczy legendy, urocze jest powoływanie się serio na autorytety w postaci historyków, gdy mowa o bajkowych wydarzeniach, prześliczne jest to analizowanie poczynań Niemca Rytigera, osoby z fantazji; tak samo, jak przy opisie – jeszcze głębiej w klechdy wtopionego – Kraka, gdy Bielski wtrąca rzeczowym tonem: „Łysy był, a brodę przystrzygał: iako niektorzy chcą mieć".

Aczkolwiek pierwszym panującym, który rozpoczyna poczet królów „udokumentowanych naukowo" jest inicjator chrztu Polski, Mieszko I, to jednak warto – zwłaszcza z uwagi na nazwę księstwa – przytoczyć tu wieść o wcześniejszym niż Mieszko władcy, oddaję tedy głos uczonemu doktorowi Mateuszowi Siuchnińskiemu, który tak pisze w swojej *Kronice Polaków* (Warszawa, 1966):

„Potężny książę pogański, panujący nad Wiślanami, urągał chrześcijanom i wyrządzał im krzywdy. Arcybiskup morawski Metody przesłał mu następującą radę i przestrogę: Dobrze będzie dla ciebie synu ochrzcić się dobrowolnie na swojej ziemi, abyś nie był przymusem ochrzczony na ziemi cudzej. Podbój Wiślan przez państwa Wielkomorawskie miał być następstwem odrzucenia przez wiślańskie-

This same village of Mogiła became the site of a huge steel works after the last war, the Lenin Steel Works, and of the fast growing town Nowa Huta rising beyond the gates of Cracow. And as regards the legend itself, how quaint and charming to refer in all seriousness to historians in telling of legendary events, and how delectable the analysis of the endeavours of Rytigerus, a fictitious character; and again, in the description of Krak – smacking even more of folk tales – what delight when Bielski adds the mundane remark "He was bald and trimmed his beard as some like it."

Although the first ruler to be included in the "scientifically documented" list of Polish kings was the initiator of Poland's baptism, Mieszko I, it is of interest, especially in view of the name of the principality of Vistulans, to include here information of an earlier ruler than Mieszko. This information is given by the learned doctor Mateusz Siuchniński in his *Kronika Polaków* (Chronicle of the Poles), Warsaw 1966!

"The powerful pagan prince of Wiślica, who ruled the Vistulans, ill-treated and wronged the Christians. The Archbishop of Moravia, Methodius, sent him the following advice and warning: 'It would be good for you, my son, to be baptised of your own free will in your own land, that you be not baptised

go księcia rady Metodego. Faktem jest, że państewko Wiślan utraciło samodzielność, a ważny szlak handlowy biegnący przez Bramę Morawską i Kraków na Ruś, znalazł się pod kontrolą Morawian, a później przejściowo Czechów. Arcybiskup Metody zmarł w 885 roku". Zatem około stulecia przed chrztem Polski.

Podziwiać tedy należy posunięcie Mieszka, rozumiejącego doskonale, że należy przyłączyć księstwo, położone w tak newralgicznym punkcie mapy, przyłączyć do tego co się zwie dziś „trendem ogólnym", by nie podzielić losu Wiślan z ich hardym władcą. Zanadto po drodze byliśmy zawsze różnym doradcom, często równie łagodnie przemawiającym, jak święty Metody: „Dobrze będzie dla ciebie, mój synu..."

later by force in a foreign land.' The conquest of the Vistulans by Great Moravia was the consequence of the ruler of the Vistulans not taking the advice of Archbishop Methodius. It is a fact that the state of the Vistulans did lose its independence and the important trade route running through the Moravian Gate and Cracow to Ruthenia came under the control of the Moravians, and later, temporarily, of the Bohemians. Archbishop Methodius died in 885." That is about a century before the conversion of Poland.

So we must admire the policy of Mieszko, who was well aware of the necessity to incorporate his principality, situated at such a sensitive point on the map, in following what we should today call the "general trend" so as not to share the fate of the Vistulans and their obstinate ruler. Only too often have we been an obstacle on the road of various advisers, who also spoke as mildly as St. Methodius: "It would be good for you, my son..."

W efekcie wiemy dziś wyjątkowo niewiele o Wiślanach, encyklopedia podaje krótko, iż byli oni „związkiem plemiennym", powstałym w owym IX wieku z połączenia ludów zamieszkujących górne dorzecze Wisły, a więc ziemie krakowską, sandomierską, co – przyznać trzeba – nie było takie przypadkowe, gdyż widły dwu silnych rzek, Wisły z jej dopływem Sanem, oraz od południa pasmo Karpat tworzyły dość obronny trójkąt zwartego terenu.

Encyklopedia powiada dalej, że zapewne Wiślica i bliski Krakowa Tyniec były centrami księstwa Wiślan, potem może Kraków i Sandomierz, wszakże nie ma tu nic pewnego, gdyż

Today we know remarkably little of the Vistulans. The encyclopaedia states briefly that they were a "tribal community" formed in the 9th century by the unification of the peoples inhabiting the upper reaches of the Vistula, that is, the Cracow and Sandomierz regions, which – it must be admitted – was no coincidence, since the fork of two large rivers, the Vistula and its tributary the San, and the Carpathians to the south created a triangular area with good natural defences

wątłe przekazy historyczne (niewiele ponad zapiskę tzw. Geografa Bawarskiego i króla Alfreda Wielkiego) nie mogą nam uzmysłowić pełni tamtych warunków i sytuacji. Nawet co tyczy samego księcia, autor hasła encyklopedycznego mówi, iż zadziorny władca jednak „przyjął chrzest", kiedy dr Siuchniński nie ma w tej mierze pewności. Ja zaś, wolny od balastu odpowiedzialności naukowej i swobodny niby ów konik polny z bajki, podskakuję sobie wesolutko i beztrosko podrzucam hipotezy. Jedną z nich jest to, że... żyją jeszcze resztki Wiślan, a przekonanie o tym zaczerpnąłem, ha! – z filmowego atelier. Doprawdy. Kiedy mianowicie Andrzej Wajda kręcił był wedle *Wesela* Wyspiańskiego swój sławny film, zajrzałem przypadkowo do hal zdjęciowych i zobaczyłem rzecz zastanawiającą. Otóż zjechała przed kamery spora grupa chłopska spod Krakowa, by tworzyć tło folklorystyczne całości – i dopiero wtedy, przez kontrast z kręcącym się dokoła tłumkiem realizatorów o twarzach nijakich i rozmaitych zarazem, ujrzałem niezwykle wyraziście, że przybyszów wyróżnia jednolitość, konsekwentna odmienność fizjognomii... Mocno zarysowane czaszki, silne kości policzkowe i ciężkie szczęki, a zarazem małe, jasne oczy na rozległych obliczach, ten moduł, ta reguła widniała tak czytelnie i tak natrętnie, że musiało mi przyjść do głowy przypuszczenie: „to są

jednoplemieńcy o szczególnie silnych rysach swojej wspólnoty etnicznej!?" I oczywiście olśniła mnie natychmiast myśl: toż to są po prostu Wiślanie, ów szczep rzekomo zamarły! – No a resztę, czyli zgromadzenie dowodów antropologiczno–historyczno–archeologiczno–rasowych zostawiam już specjalistom odpowiednich dziedzin.

The encyclopaedia goes on to say that it is most probable that Wiślica and Tyniec, near Cracow, were centres of the principality of Wiślica and later perhaps also Cracow and Sandomierz, but that this is not certain because the scanty historical data (not much more than the notes of the man known as the Bavarian Geographer and King Alfred the Great) do not give a clear picture of the conditions and the situation in those days. Even regarding the stubborn prince the author of the encyclopaedic article says that he was baptised in the end, while Dr. Siuchniński is not certain about that. But I, not being a scholar and as free as the fairy-tale grasshopper, can leap about happily and put forward my own hypotheses. One of them is that... the descendants of the Vistulans are still with us, and I got this idea, ha! – in a film studio. Yes, really. It was when Andrzej Wajda was making his famous film based on Wyspiański's *Wesele* (The Wedding). I happened to look in on the set and saw something that made me wonder. There was a large group of peasants who had come as extras from outside Cracow to give the film the necessary folklore background and it was only then, in contrast to the throng of film-makers with all sorts of faces, that I saw with amazing clarity that the new arrivals were distinguished by a specific uniformity, a consistent difference in their physiognomy... A strongly marked skull structure, high cheekbones and heavy jaws, small light-coloured eyes in wide faces. This module, this regularity was so obvious, so very obtrusive, that I could not help thinking: "These are people of one tribe with very strongly marked features of their ethnic community." And of course it then came to me in a flash that they were Vistulans, members of that tribe that was supposed to be extinct! I leave the rest, that is, gathering anthropological-historical-archaeological-racial proofs, to the experts in these fields.

The same resoluteness that strikes one when reading the accounts of the disputes with Methodius and his methods was evident on the strong countenances of my "Vistulans". This vitality of the tribes inhabiting the area near

Ta właśnie nieugiętość, jaka bije zarówno z opisu sporów ze świętym Metodym i jego metodami, jak i z krzepkich twarzy moich „Wiślan", ta witalność przykrakowskich szczepów potwierdza się także w dziejach wspomnianej tu Wiślicy.

Wiślica – miejsce ważkie przez długie wieki, dawna – jak mniemamy – stolica Wiślan przeżywała swoje heroiczne czasy, szczególnie jako wczesnopiastowska rezydencja królewska, nim przeszła fala zagłady w postaci napadu ruskiego (rok 1135), który zwalił w gruzy potężne, jak na ową epokę, i wielce zdobne świątynie romańskie oraz – wedle ostrożnych przypuszczeń badaczy – książęcy zamek. Nikłą resztką dawnej świetności jest nie spotykana gdzie indziej gipsowa posadzka – obecnie tylko drobny jej fragment – tamtejszej kolegiaty, gdzie kunsztownie wyryto pyszne sceny figuralne wśród kwietnych ornamentów i gdzie wznosiły się niegdyś wspaniałe kolumny świątynne; całość zaś datują na koniec XII wieku. Mimo srogich przeciwności losu narastają coraz to nowe ozdoby grodu, już to kolegiata z pięknym płaskorzeźbionym wizerunkiem fundatora, króla Kazimierza Wielkiego, już to sumptem kronikarza Jana Długosza wzniesiona gotycka dzwonnica czy inne, pomniejsze, lecz także wartościowe obiekty. Na dokładkę tu właśnie, w Wiślicy pokazywano długie lata przyjezdnym tzw. grób Helgundy, która zrodziła się w fantazji romańskich i romantycznych Minnesängerów jako bogdanka rycerza Waltera z Akwitanii, bohatera wczesnośredniowiecznych eposów germańskich (poemat *Waltharius* z IX w.), która to opowieść przywędrowała do Polski – zanotowano ją w *Kronice Wielkopolskiej* ok. roku 1242, gdzie Waltharius przeobraził się był w Walgierza, konkretnie w Walgierza Wdałego (czyli tyle, co Dorodnego, Silnego, Potężnego) z drugiej strony stolicy Wiślan, z Tyńca, natomiast piękna Helgunda ewoluowała z wiernej jak Isolda kochanki w niewierną żonę, albowiem uciekła od prawowitego małżonka do księcia Wisława z Wiślicy... Walgierza co gorsza pojmano, wszakże rozerwał, jako siłacz, więzy i oboje wiarołomców uśmiercił! Tak ze słodkich pieśni, kiedy przeszły one do kraju surowego i stale spływającego krwią obrońców i na-

Cracow, is also confirmed by the history of Wiślica.

Wiślica, an important centre for many centuries, formerly – it is believed – the capital of the Vistulans, lived through heroic times as the royal seat of the early Piasts, before the Ruthenian invasion engulfed it in 1135 in a wave of destruction resulting in the complete ruin of the very large (for those times) and richly decorated Romanesque churches and also – according to the cautious assumptions of scholars – the ducal castle. A minute trace of the former splendour of Wiślica, not encountered anywhere else, is the plaster floor (only part of it has been preserved to our day) of its collegiate church, with skilfully engraved figural scenes amid floral ornamentation, where there were once magnificent temple columns. The church as a whole dates back to the end of the 12th century. Despite the vicissitudes of fate, the town was continuously being enhanced with new magnificent buildings, to mention only the collegiate church with the beautiful relief portrait of its founder King Casimir the Great, or the Gothic belfry founded and built by the chronicler Jan Długosz, as well as other smaller, but also interesting structures. And in addition to all that, for many years visitors to Wiślica were shown the alleged tomb of Helgunda (Hiltgunt), born of the fantasy of the Romanic and romantic Minnesingers, as the lady-love of the knight Walter of Aquitaine, the hero of early Mediaeval German epics (the 9th century poem *Waltharius*) the story of which reached Poland (it was noted down in the *Wielkopolska Chronicle* of circa 1242). In the Polish version Walter was called Walgierz, to be precise, Walgierz Wdały (*Wdały* meaning handsome, strong, powerful) and came from the other capital of the Vistulans, Tyniec. The beautiful Hiltgunt, instead of being a damsel as faithful as Isolde, appeared as a faithless wife, who ran away from her rightful husband and went to the prince of Wiślica, Wisław... What is more, Walgierz was captured and bound, but being a strong man he broke his fetters and killed his faithless wife and the prince! Thus, this sweet song, when it came to the austere

pastników, przerodził się w posępną i żałosną historię.

Dawne więc to wszystko sprawy i czasy, epoka powolnego wypierania starych wierzeń przez nową, ogólnoeuropejską religię, czyli zbrojne w ostry miecz chrześcijaństwo srogich cesarzy i żelaznych zachodnich rycerzy. „Ochrzcij się dobrowolnie na swojej ziemi, abyś nie był przymusem ochrzczony na ziemi cudzej", a więc porzuć pradawne, leśno-polne wierzenia praojców – z zastępami zwiewnych boginek puszczańskich, z uroczyskami świętych miejsc, gdzie w zieleni stały odwieczne drewniane posągi opiekunów roli i ostępów, gdzie czczono słońce i życiodajny ogień, a rozlicznym zwierzętom, współgospodarzom kniei, oddawano należne honory wynikłe ze zrozumienia wzajemnych ważkich współzależności. Nie wiem, czy to tylko wpływ lektur i baśni zasłyszanych w dzieciństwie, ale kiedym nad szeroko i cicho płynącą Wisłą w najkrótszą noc roku, przed Mieszkiem zwaną „noc Kupały"*, a w kilkaset lat potem przerobioną na „noc świętego Jana" – kiedym patrzył na prastare obrzędy zapalania ognisk, skoki chłopców przez płomień, na puszczanie z nurtem wody wianków zawierających małe kaganki – i gdy wiedziałem, że o północy pary kochanków będą szukać w lesie legendarnego, raz tylko do roku kwitnącego zimnym blaskiem kwiatu paproci – wówczas przejmowały mnie dziwne uczucia: pokory, nabożnego szacunku, atawistycznej czci. Jest przecież ogień najstarszym i najbardziej fascynującym dla człowieka spektaklem, mamy to wsączone w krew od niezliczonych pokoleń.

Toteż szczególnym wzruszeniem przeniknął mnie widok malutkiego, czteroletniego chłopca, który przyjechał na wieś do naszego letniego domku prosto z przeogromnej metropolii, z Paryża mianowicie, a zobaczyłem nagle malca, jak siedział tyłem do telewizora, gdzie akurat skakały figurki rysunkowego filmu, siedział znieruchomiały, zapatrzony w... płomienie buzujące wewnątrz kominka.

Prawdę rzekłszy – nie znikły bynajmniej do końca rozliczne obyczaje i nawyki z czasów zwanych pogańskimi, choć wiele z nich, jak

* Inaczej: sobótki, kupalnocka.

country, soaked with the blood of its defenders and invaders, turned into a sombre, doleful story.

But those are the old happenings, the old times, when old beliefs were gradually being ousted by the new, all-European religion, the Christianity of ruthless rulers and the ironclad knights of the west, armed with sharp swords. "Be baptised of your own free will in your own land, that you be not baptised later by force in a foreign land", that is, abandon the ancient forest and meadow beliefs of your ancestors, your elusive goddesses of the woods and the sacred places of cult where, amid the greenery stood the eternal, wooden figures of deities, protectors of the land and the forests, where people worshipped the sun and life-giving fire and did honour to the multitude of animals who lived together with man in the forests, for man understood the importance of their mutual interdependence. I do not know if it is only the influence of the books I read and the fairy tales I heard in my childhood, but when I stood by the wide, quiet-flowing Vistula on the shortest night of the year, on Midsummer Night, which before Mieszko's times was called *Noc Kupały* and several hundred years later became *noc świętego Jana* (St. John's Night) – when I watched the ancient rites of lighting the bonfire, the boys jumping over the flames and the girls casting their flower wreaths with little lighted torches onto the waters of the river, and when I knew that at midnight lovers would go off to the forest in pairs to seek the legendary crock of gold, the coolly luminous fern-flower that blooms only once a year, strange feelings overcame me, feelings of humility, pious wonder and atavistic veneration. For is not fire the oldest spectacle with the greatest fascination for man? it is in our blood, the heritage of innumerable generations. I remember how moved I was on one occasion at the sight of a small, four-year-old boy, who had come to visit us in our country cottage, straight from a great metropolis, from Paris, sitting with his back to the TV set, then

choćby opisaną noc Kupały – św. Jana – wciągnięto w spis nowych, już chrześcijańskich uroczystości na naszej ziemi, czego szczególnie typowym przykładem jest obrzęd w dniu Wszystkich Świętych, 1 listopada, po dawnemu zwany Zaduszkami, czyli święto zmarłych. Oto tak jak praojce i naddziady zapalamy ogieńki na grobach przodków oraz bliskich naszemu sercu, a wcześniej niż my odeszłych osób, do niedawna – co opisywał Reymont w nagrodzonych Noblem *Chłopach* – kruszono na mogiłkach jadło w ofierze duchom. Jedno z najpotężniejszych naszych dzieł dramaturgicznych, niemal nie schodzące ze scen narodowych, *Dziady* Adama Mickiewicza, to przecież nic innego, niż przypomnienie cmentarnych obrzędów starej Słowiańszczyzny. Mimo wołań w rodzaju „czy widzisz święty krzyż?", mamy tu, wraz z sakralną dzieżą ziaren i polatującymi w powietrzu płomykami-duszami zmarłych, kontynuację pradawnych naszych pogańskich, magicznych uroczystości. Pamiętam, jak (wyprzedzając wszelkie eksperymenty Teatrów Otwartych i innych happeningów awangardy) animator amatorskiego ruchu teatralnego wśród młodzieży wiejskiej, Stanisław Iłowski, tuż po wojnie wydawał broszurki instruktażowe dla zespołów, gdzie zalecał odgrywać misterium *Dziadów* dosłownie na lokalnych cmentarzach. A potrafiły te cmentarze być przecież, jak i przed wiekami, szczególnie przejmującym fragmentem krajobrazu – z ich skupiskami starych, gęstych drzew i pagórkami mogił trawą zarosłych, nadpróchniałymi belkami krzyży znaczonych, miejscem prawdziwie ponadczasowym.

emitting a cartoon film for children, sitting still as a little statue gazing at... the flames of the fire burning on the hearth.

To tell the truth, there are numerous customs and traditions from pagan times, as we call them, that have certainly not died out, though many of them, to mention only the Midsummer Night's festivities I have described, have been included in the list of new, Christian rites. A typical example of this is *Dzień Wszystkich Świętych* (All Saints' Day or All Souls' Day) on 1 November, in olden times called *Zaduszki* (Hallowe'en), the day on which we honour the deceased. On this day, like our ancient ancestors, we light little lamps on the graves of our forefathers and the near and dear ones who have departed this life, before us. Not so long ago – as described in Reymont's novel *Chłopi* (The Peasants) – food was placed on the graves as an offering to the spirits.

One of our most powerful dramatic works, still continuously staged in the theatre, Adam Mickiewicz's *Dziady* (Forefathers' Eve), is nothing other than a revival of the rites held at the burial places of the ancient Slavs. Despite such lines as: "Do you see the Holy Cross?", we have here, with the ritual bowl of grain and the souls of the dead flying about in the air as little flames, a continuation of our ancient pagan magic rites. I remember how (long before all the experiments of the open theatre and other avant-garde performances of the "happening" type) Stanisław Iłowski, an enthusiastic promoter of amateur dramatics among the rural youth, issued a little book of instructions for amateur theatre groups just after the war, in which he recommended acting out the mystery of *Forefathers' Eve* literally in local cemeteries. And these cemeteries, as we know, can be – as in bygone ages – places that evoke a special, dramatic atmosphere, densely grown with old trees, with their old grave mounds overgrown with grass, and marked by rotting wooden crosses, places that one feels are beyond time.

I z głębi stuleci do naszych dni dotrwały także w rejonie o wyjątkowo odpornym na wszelkie nowinki folklorze, czyli na Skalnym Podhalu u podnóża Tatr liczne relikty niegdysiejszych wierzeń i obyczajów. Jeszcze przed paru laty znalazłem ukryty pod okapem pewnej tamtejszej chałupy prastary święty znak ognia, czczony od Indii po Europę, rodzaj swastyki, lecz o ostrzej, niż ta ponuro nam znana, zgiętych ramionach. W tamtej również okolicy zdarzają się dość gęsto u spodu drzwi wejściowych małe otwory wycięte w desce, czynione często z nieokreślonego nawyku cieśli, „bo tak się robi", ale starsi potrafią wyznać, że to nie dla kurcząt czy kociąt, jak by się zdawać mogło, ale „dla skrzatów". Ów drobny ludek, raz zwany koboldami, kiedy indziej i gdzie indziej karzełkami, niziołkami, bożętami, krasnoludkami, gnomami i jak tam jeszcze – opiekuje się przecież drobnym domowym dobytkiem, cichcem potrafi pomóc w gospodarstwie, przed zaprószeniem ognia upilnuje, oczywiście gdy jest dobrze traktowany: a więc gdy ma to swoje wejście do domostwa, kiedy się mu po wypiciu trunku strzepnie na podłogę kilka kropel z kieliszka, a także – kiedy człowiek, mając na dłużej opuścić dom, przysiądzie jeszcze na chwilę w milczeniu, nim wyjdzie; oznacza to chęć powrotu w te same ściany, a więc skrzaty mogą się czuć uspokojone, zostaną na miejscu, by nadal, pod nieobecność owych domowników, opiekować się mieszkaniem...

Also, in a region where the folklore is particularly resistant to all that is new, in the Skalne Podhale region at the foot of the Tatra Mountains, many relics of ancient beliefs and customs have lasted through the ages to this day. Only a few years ago, hidden under the eaves of a cottage there, I found an ancient sacred fire sign, worshipped from India to Europe, looking rather like a swastika, but with more sharply bent arms than the ominous sign known to us. In that region, too, it is quite a common thing to see a small opening cut in the bottom of the cottage doors by the carpenters, often from sheer habit "because it's always been done", though they are not clear as to why. But the oldest inhabitants admit that the opening is not for hens or cats as one might think, but "for the pixies". These "little people", also known under a variety of names such as kobolds, gnomes, goblins, dwarfs and what have you, take care of things in the home, secretly help in the household chores, guard the cottage from fire, only of course if they are well treated and therefore, if they have an entrance into the home, and if, when drinking, a few drops from the glass are shaken onto the floor for them. When you must leave your home for some time, sit down in silence for a moment before leaving. This means that you want to come back to the same four walls and then the pixies are reassured and stay on to look after the household while the owners are away...

Jak Wisła długa nad całym jej biegiem, gdy jeszcze szumiały po obu brzegach sute puszcze i lud rolny krzątał się po polanach, wszędzie w podobny sposób czczono to wszystko, co było znakiem sił przyrody, jej ważności i znaczenia. Dla przypodobania się owym siłom wysypywano przed progami domostw piękne wzory piaskiem rzecznym, w uroczyste dni zdobiono siedziby zielenią (co zostało do dziś w obyczaju majenia tatarakiem, rośliną wodną, chat na Zielone Świątki, najpierw przez Kościół przypisane Zesłaniu Ducha Świętego, a ostatnio ustalone urzędowo Dniem Rolnika, czyli przywrócone niejako pierwotnemu znaczeniu). Tak samo aktualny jest zwyczajowy zakaz czynienia krzywdy jaskółkom – o których nadal potrafią mówić starzy wieśniacy tak, jak przed tysiącleciem, że mianowicie jesienią ptaki te, sczepiwszy się łapkami w girlandy, zapadają na dno wód, skąd wyfruną raptem któregoś wiosennego dnia! Równie nietykalny jest bocian, któremu wciąż chętnie podsuwane bywa na przydomowym drzewie lub wyższym dachu leżące stare koło od wozu, aby na nim zechciał założyć gniazdo, znak pomyślności dla gospodarzy. I ścięcie takiego drzewa odczuwane jest wciąż jako rodzaj świętokradztwa; znam wieś, gdzie wyrąbano szpaler topoli, jakoby zawadzający w budowie szosy, wszakże tam, gdzie gniazdują bociany, siekiera nie tknęła pnia.

Czy zresztą można spodziewać się doszczętnego wytępienia wierzeń, które wyrosły z tej konkretnej ziemi, jej lasów i pól, więc zakorzeniły się szczególnie mocno? Dodajmy, że nowa, urzędowa religia wchodziła w życie wyjątkowo opornie, a represje takie jak wybijanie zębów za złamanie postu czy inne restrykcje jedynie ożywiły niechęć ludu do książęcych i cudzoziemskich pomysłów. „Zakaz palenia zwłok – powiada historyk Benedykt Zientara – stwarzał różne problemy, powodujące trwożne nastroje. Wszak spalenie ciała umożliwiało duszy przeniesienie się na tamten świat, zakopanie tego ciała natomiast mogło prowadzić do odrodzenia się nieboszczyka w formie «żywego trupa»,

Along the whole length of the Vistula, in the days when dense forests sighed along both banks and the country people worked in their fields, the forces of nature, her meaning and importance for man were everywhere worshipped in a similar way. The people made beautiful patterns in river sand before the thresholds of their homes to appease the elements, on feast days they decorated their cottages with greenery (this has survived to our times in the custom of decorating doors and windows with sweet flag, a water plant, at Whitsuntide first established by the Church to commemorate the descent of the Holy Ghost upon the Apostles and in recent years officially declared Farmers' Day – a return to the original meaning as it were). Another echo of the old times is the customary attitude that one should not harm swallows. To this day there are still old country people who say – as their ancestors did a thousand years ago – that in the autumn these birds join their claws to form garlands and sink to the beds of rivers and lakes and suddenly, one fine spring day, fly up out of the water! Another bird that enjoys special protection is the stork, who is still encouraged to nest in a tree by the cottage or on the top of the roof by putting an old cartwheel there as a base for the nest, for a stork's nest on the farm is a good omen. To cut down a tree where storks have their nest is still regarded as sacrilege. I know a village where an avenue of poplars was to be felled as it was an obstacle to widening the road. But no axe was raised against trees where storks were nesting.

upiora prześladującego żywych". Toteż nic dziwnego, że musiało przejść bez mała półtora wieku, zanim zlikwidowano ostatnie oficjalne ośrodki, świątynie starych kultów nad Odrą i na Śląsku, co bynajmniej nie unicestwiło samych wierzeń, przywiązania do lokalnych duchów, boginek, bogów po gajach czy rzekach, wreszcie do wspomnianych obrzędów. Jeden z tych obrzędów, postrzyżyny, czyli obcięcie długich włosów chłopięcych, gdy syn wychodził spod opieki matki, przetrwało w sympatycznej legendzie o pierwszym, półmitycznym królu Piaście, który dał imię historycznej dynastii. I do końca prawie zeszłego wieku trwała po wsiach chłopska fryzura męska „na Piasta", którą pokazuję obok na ilustracji, efekt tamtych pradawnych postrzyżyn... Wówczas zaś, w pierwszych stuleciach po urzędowym chrzcie wystarczyło (jak powiada tenże Benedykt Zien-

tara, gdy opisuje nastroje „przymusowych chrześcijan") „osłabienie aparatu państwowego i powstanie rozbieżności wśród grupy rządzącej, aby ludność otwarcie wystąpiła przeciw władzom – i to krwawo, i to niejednokrotnie".

A teraz, zadumawszy się nieco nad sprawami starych obyczajów, nie wytępionych do szczętu i do dziś wzbogacających folklor, spłyniemy niżej z nurtem Wisły, na krótko tylko zatrzymując się przy najczcigodniejszym mieście Polski, Krakowie. To wymaga jednak osobnego omówienia.

After all, can one really expect a complete abolition of the old beliefs that grew from a given land, its forests and fields and are therefore deeply rooted? I might add that the new official religion was not accepted without a good deal of resistance, and repression such as knocking out the teeth of those who did not fast in Lent or other restrictions only had the effect of increasing the dislike of the people for these ducal and foreign ideas. "The prohibition of cremation," writes the historian Benedykt Zientara, "created all sorts of problems and caused moods of alarm. For cremation enabled the souls of the dead to go to the other world, while the burial of bodies could lead to the rebirth of the deceased as a 'live corpse', a ghost haunting the living." No wonder then that it was nearly a century and a half before the last official centres, temples of ancient cults along the River Odra and in Silesia, were finally abolished, which did not in the least mean that the beliefs themselves, a fondness for local spirits, forest and river deities and the previously mentioned rites had died out. One of them, the ancient Slav rite of cutting a boy's hair when he was old enough to be taken from his mother's care, has been handed down to us in a charming legend about the first, semi-mythical king Piast, who gave his name to the historic dynasty. And almost till the end of the last century, the "Piast" men's haircut (shown in the drawing), a reminder of the ancient rite, was still to be seen in some villages. In those old days, in the first centuries after the official conversion of Poland, as we are told by Benedykt Zientara in his description of the moods of those "Christians by compulsion", it only took "the weakening of the state apparatus and differences of opinion in the ruling group for the people to rise in open rebellion against the authorities and there was more than one such rebellion with a lot of bloodshed."

And now, having pondered a little over the old customs, still not completely uprooted and still enriching Polish folklore, let us move further down the Vistula, with a short stop at Poland's most venerable city, Cracow. But that is a separate subject.

Rozdział 2

TROCHĘ O KRAKOWIE

Dwu rzeczy przychodzi mi żałować, kiedy prowadzę tę gawędę o Wiśle i jej otoczeniu. Po pierwsze, siłą faktu pomijam tematykę ziem zachodnich Polski, nader interesujących przecież, tak w dziejach narodowych, jak obecnie, lecz cóż – zawierają się one w dorzeczu Odry, a nie naszej tytułowej Królowej Rzek. Po drugie: żal mi, że z powodu konieczności tłomaczenia tekstu na inne języki, trzeba rezygnować z ogromnego dorobku polskiej poezji na temat Wisły! Główny bowiem wdzięk i wartość tych strof, od wielkich poematów aż po niezliczone, często anonimowe wierszyki i śpiewki ludowe, polega na tonie, muzyce rodzimych słów. I tak, jak sławny song o Missisipi *Old Man River* brzmi naprawdę dobrze tylko w mowie znad jej brzegów, podobnie jest i z wiślanymi utworami.

Chapter 2

A LITTLE ABOUT CRACOW

There are two things I regret in telling this tale of the Vistula and the lands along it. First, in keeping with the facts, I am forced to omit mention of the Polish western territories, so very interesting, both from the point of view of our nation's history and the present day. But they are in the Odra basin and not in the realm of our Queen of Rivers mentioned in the title. Secondly, as the text is to be translated into other languages, I have had to give up the idea of including some of the many poems written about the Vistula. For the main charm and value of this verse, from long poems to the countless short, often anonymous, pieces of poetry and folk couplets, lies in the tone, the music of our native tongue. And just as the famous song about the Mississippi, *Ol' Man River*, only sounds really right in the language spoken on its banks, the poems about the Vistula can only be fully appreciated in Polish.

Pozostańmy zatem przy bardziej przyziemnej prozie i z jej pomocą stwierdźmy, iż nasza główna rzeka – o czym wspominałem wcześniej – łączy różne obszary, niegdyś pokrajane granicami przez zaborców, a jeszcze wcześniej, w średniowieczu, dzielone najrozmaiciej na księstwa i księstewka, nim się zrosły w ogromną, potężną Rzeczpospolitą. Ona właśnie z końcem XVIII wieku została w trzykrotnych etapach rozdarta między władców pruskich, carów rosyjskich i austriackich cesarzy. Na krótko, na kilka ledwie lat fragmentowi Polski przywrócił niepodległość (wielce co prawda zależną od Francji, chociaż z saskim monarchą na czele) Napoleon Bonaparte, ustanawiając Księstwo Warszawskie. Wszakże po klęsce „boga wojny" i ten twór polityczny znikł z mapy, a Kongres Wiedeński na stulecie całe przysądził trzem Czarnym Orłom kraj Orła Białego. W potocznym języku jednak tylko te ziemie, które podlegały Rosji nazwano „Kongresówką", gdy południowy pas Polski zyskał miano Galicji, okręgi przypadające berłu pruskiemu (Pomorze, Wielkie Księstwo Poznańskie oraz Górny i Dolny Śląsk) kazano określać niemieckimi nazwami.

So, using the more down-to-earth prose as my medium, our chief river – as I stated earlier on – links up various areas; at one time they were divided up between the partitioning powers and separated by frontiers, and even earlier, in the Middle Ages, divided into various principalities, large and small, before they became one entity, the powerful Commonwealth (in Polish *Rzeczpospolita*, etymologically identical with Latin *Res publica*). At the end of the 18th century this Commonwealth was torn apart in three stages by the Prussian rulers, Russian tsars and Austrian emperors. For a short time, only a few years in fact, a small part of Poland was granted independence (though to tell the truth it was largely dependent on France despite its Saxon monarch) by Napoleon Bonaparte, who set up the Duchy of Warsaw. After the defeat of that "god of war", this political product disappeared from the map and the Congress of Vienna awarded the land of the White Eagle (the emblem of Poland) to three Black Eagles. The area under Russia was generally known as the Congress Kingdom, while the southern part of the country was given the name Galicia and the regions under Prussian rule (Pomerania, the Grand Duchy of Poznań and Upper and Lower Silesia) received German names.

Skupiam tu uwagę na tym właśnie, zaborowym okresie, gdyż jako bliski nam w czasie, a zarazem drążący głębokie przemiany w społeczeństwie polskim – odcisnął wiele, do dziś chwilami wyraźnych, śladów. Spotkać je można jeszcze w charakterze zbiorowisk, w pejzażu, w stopniu industrializacji i stosunku do niej. A także w śmiesznostkach, z rodzaju tych, które Anglik mówi o Szkocie, farmer Południa o Yankesie, paryżanin o Gaskończyku czy Serb o Czarnogórcu. Istnieją także różnice mowy i wymowy, wszakże wszystko razem, niby kraj Wisłą, połączone jest jednak sprawą istotnie cenną i ważką: poczuciem jednolitego losu i działania, dumą wspólnoty.

Jak jednakże było przed, powiedzmy, stu laty? W odpowiedzi sięgnę do wspomnień z dzieciństwa Tadeusza Boya–Żeleńskiego, tytana przedwojennej publicystyki, a także tłomacza całej (podkreślam: c a ł e j zasadniczej, od Villona i Rabelais do Prousta!) literatury francuskiej, poety, satyryka i reformatora społecznego zarazem. Wiek temu działo się to, co opisywał pamiętnikarsko:

„Miałem sześć lat*, kiedy ojciec przeniósł się z Warszawy do Krakowa. Warszawa ówczesna miała dla dziecka coś z grozy, coś z tajemnicy. Upiorni Kozacy na koniach, w wysokich skórzanych rurach na głowie, z pikami; olbrzymi Czerkiesi z kindżałami i w czapach; obmierzłe galówki [przymusowe uroczystości na cześć caratu, połączone z iluminacją miast – S.K.] z łojowymi lampkami kopcącymi w rynsztokach; ściszone rozmowy starszych, nagła wieść o zamordowaniu cara Aleksandra...

A Kraków? Nie od razu zorientowałem się w różnicy atmosfery. Długo przejmowało mnie lękiem spotkanie żandarmów, którzy zawsze chodzili we dwóch, z nasadzonym bagnetem, w kapeluszach z kogucimi piórami. Z dość niespokojnym wzruszeniem mijałem Węgra, który w obcisłych cyfrowanych spodniach stał na warcie przed swoją budką. Dopiero kiedy ujrzałem na murze plakat zaadresowany: «Kochany hrabio Taaffe», podpisany «Franciszek Józef m.p.», uspokoiłem się. Ten życzliwy i konstytucyjny sposób korespondowania sprawił mi podświadomą ulgę..."

* Rok 1880.

I mention the period of the partitions because it is comparatively recent and, by imposing far-reaching changes on the Polish nation, left many traces that in some cases are still clearly evident today. They can be seen in the character of architecture, in the landscape, and the degree of and the attitude towards industrialization. They are also evident in the fun made of certain traits, like the jokes told

by the Englishman about the Scotsman, the Southerner abour the Yankee, the Parisian about the Gascon and the Serb about the Montenegrin. There are also differences in speech and pronunciation. Nevertheless, taken all round, as the country is linked by the Vistula, so its people are united by something important and extremely valuable: a sense of identity of fate and action, pride in being a community.

But what was it like earlier, say, a hundred years back? To answer this question let us look at the childhood reminiscences of Tadeusz Boy-Żeleński, that Titan of pre-war publicists and translator of all – yes, I repeat, *all* – the fundamental works of French literature, from Villon and Rabelais to Proust – poet, satirist and social reformer, all in one. What he describes in his reminiscences happened a century ago:

"I was six* when my father moved from Warsaw to Cracow. For a child, the Warsaw of those times was a rather grim and mysterious place. There were the weird Cossacks on horseback with tall leather pipe-like hats on their heads and their lances; the huge Caucasians carrying daggers and wearing fur caps; the odious gala parades [compulsory ceremonies in honour of the Tsar, when the towns were illuminated, S.K.]; smoky tallow lamps in the streets; the whispered conversations of the adults; the sudden news of the assassination of Tsar Alexander...

"And Cracow? I did not realize the difference of atmosphere at first. I was haunted for a long time by fear of meeting the gendarmes, with cock's feathers in their hats who always marched about in pairs with bared bayonets. It was with uneasy excitement that I passed the Hungarian, who stood on guard before the sentinel's box in his tight embroidered trousers. It was only when I saw a placard on the wall addressed 'Dear Count Taaffe' and signed 'Franz Joseph Emperor m.p." (manu propria or by his own hand) that I felt easier in my mind. This friendly and constitutional kind of correspondence brought me a subconscious feeling of relief."

---

* The year 1880.

Prawdę rzekłszy, nie od razu, bo dopiero po klęsce z Prusami w roku 1866 polityka Wiednia uległa zmianie. Niemniej ten właśnie okres swoistej liberalności, połączonej z niezbyt ruchliwym i ku wyraźnej degrengoladzie się kłoniącym aparatem państwowym – pozostawił po sobie pamięć najwyraźniejszą. Pośród mnóstwa literatury na ów temat (z najsławniejszymi *Przygodami dobrego wojaka Szwejka* Haška w pierwszym rzędzie) tkwi stara anegdotka o pewnym potężnym bankierze w Wiedniu, od którego skarb państwa zamierzał pożyczyć ogromne sumy. Tenże naddunajski Rotszyld udał się do cesarskiego pałacu celem podpisania dokumentów, po drodze jednak któryś z mundurowych prominentów szepnął sędziwemu bogaczowi na ucho „niech pan uważa na swojego wnuka, Abrahama, bo on zaczął się stykać z jakąś socjalizującą młodzieżą i może być nieprzyjemnie...” Gdy doszło do podpisania, milioner nie wziął pióra w palce; zdumienie obecnych ministrów: „Czyżby pan nie miał zaufania do monarchii?!” – „Nie mam” – „Dlaczego?!” – „Panowie, co to jest za monarchia, która się boi mojego małego Abramka?”.

Pardon, już wracam znad Dunaju do Wisły! Do Krakowa, który był przez cały niemal okres obcych zaborów szczególnym punktem na mapie sentymentów polskich, gdyż tu właśnie – dzięki cytowanej „konstytucyjności” poszczególnych ziem habsburskich – wolno było kultywować symbole dawnej polskości, manifestować rocznice narodowe, tworzyć patriotyczną sztukę, powiewać sztandarami biało–czerwonymi i eksponować stare, czcigodne godła historyczne. Do Galicji zatem, a pod Wawel szczególnie, ciągnęli spragnieni krzepiących znaków narodowych rodacy – i brali udział w gęsto aranżowanych uroczystościach „ku czci”. A to stulecie jakiegoś wydarzenia, a to sprowadzenie prochów wielkiego poety, a to pogrzeb weterana, za każdym razem ruszały ogromne tłumy, gdzie bielały sukmany chłopów, jadących tzw. banderią czyli konnymi szeregami; gdzie migotały pyszne stroje szlacheckie zdobne zabytkowymi szablami, gdzie poważnie kroczyli mieszczanie w historycznych kostiumach, niosący, prócz cechowych sztandarów, cud złotnictwa: w szlachetnym kruszcu kutego renesansowego

To tell the truth it had not always been so, for it was only after the defeat in the Austro-Prussian war of 1866 that Vienna's policy underwent a change. However, that period, with its specific liberality combined with the not very active state apparatus that was clearly going downhill, made a strong impression in history. Among the many writings on that subject (the most famous and final being Hašek's *Good Soldier Schweik*) there is an old anecdote about a certain powerful Viennese banker from whom the treasury wanted to borrow a huge sum of money. This Rothschild from the banks of the Danube went to the emperor's palace to sign the necessary documents and on his way a uniformed dignitary whispered to the elderly banker, "Keep an eye on your grandson, Abraham, he's got mixed up with some young socialists and there might be some unpleasantness."

At the moment of signing the documents, to the amazement of the ministers who were present, the millionaire did not pick up the pen. "Surely you have confidence in the monarchy? " he was asked. "No, I haven't." "Why not? " "Gentlemen, what kind of a monarchy is it that fears my little Abraham? "

Sorry, we'll leave the Danube and come back to the Vistula. To Cracow, which through almost the whole period of the partitions was a centre of Polish sentiments, for it was Cracow – thanks to the "constitutional character" of the lands ruled by the Habsburgs – that was allowed to cultivate the symbols of the old Poland, to celebrate national anniversaries, develop patriotic art, wave the red and white flag, and exhibit the old, time-honoured Polish historical emblems. So it was to Galicia, particularly to the city of Wawel, that Poles desirous of heartening signs of national existence came to participate in the many ceremonies arranged "in honour" of their country, such as the centenary of some historical event, the return of the ashes of a great poet, the funeral of a freedom fighter, all of which were attended by large crowds, where peasants on horseback wore their traditional costumes, where one could see the gentry wearing their rich robes and curved sabres, where the bur-

koguta, godło strzeleckiego „Bractwa Kurkowego". Wszystko to chłonęli przybysze – jak wówczas mawiano – zza kordonów, a więc spod

zaborów pruskiego i rosyjskiego, złaknieni widoku białych orłów polskich, szabel sarmackich, zjednoczenia wszystkich stanów w imię patriotyzmu, a także pragnący usłyszeć stare pieśni rycerskie czy powstańcze.

Kraków, siedziba królewska, stanowił ongiś ośrodek nie tylko miejski w znaczeniu praw i przywilejów, w którym (wyrosłe z rodzimych elementów i splecione ze spolszczonymi żywiołami zachodnich przybyszów, jacy wpłynęli tu wraz z zakładaniem miast wedle zachodnioeuropejskich reguł) powstawały potężne cechy rzemieślników i centrale handlowe, a także kwitły wspaniale kultura, nauka i sztuka. Tu – założony w 1364 roku przez króla Kazimierza Wielkim zwanego – powstał i rozrósł się jeden z pierwszych uniwersytetów świata, później Jagielloński, uczelnia Kopernika i wielu innych prominentów wiedzy. Tu, wraz z prądami umysłowymi nowej epoki, Odrodzenia, wyrósł na dawnym romańskim i gotyckim trzonie olśniewający renesansowy zamek wzniesiony wedle kanonów włoskich przez mistrzów pochodzących z Italii – jak ówczesna królowa Bona Sforza – zbudowany i przyozdobiony, także przez polskich twórców.

ghers marched solemnly by in historical costumes, bearing, apart from their guild banners, an exquisite example of goldsmithery, the golden cock in Renaissance style, the emblem of the Marksmen, "the Fraternity of Cock Shooters". All this was an absorbing sight for those who came "from beyond the cordon", as visitors from the Prussian and Russian sectors were called, who longed for the sight of the White Eagle of Poland and the Sarmatian sabre, and who dreamed of the unification of all estates in the name of patriotism, people who wanted to hear the old songs of the knights and insurgents.

Cracow – the residence of kings, a centre that was once not only a city in the sense of possessing urban rights and privileges and where there were powerful guilds of craftsmen (established by native elements and Polonised western craftsmen who came there when towns were being established according to western patterns) and trading enterprises – was also distinguished for the magnificent development of culture, learning and art. Cracow was the home of one of the first universities in the world, founded here in 1364 by King Casimir the Great. It was later named the Jagiellonian University and Copernicus and many other eminent scholars studied there. Here, with the coming of the intellectual trends of the new Renaissance epoch, on the site of the old Romanesque and Gothic castles, rose the imposing Renaissance palace designed by architects who were brought from Italy – like the Polish queen at that time, Bona Sforza – in the building and ornamentation of which Poles also participated.

Podkreślmy również, iż w tej Europie, gdz zaczęły gorzeć coraz liczniejsze i straszliwsz stosy Świętej Inkwizycji, gdy w ich płomieniach zginął męczeńsko Giordano Bruno, gdy zginano kark Galileuszowi i prześladowano wszystko, co opierało się hegemonii papieskiej, wtedy Polska, acz katolicka, stała się oazą, azylem tolerancji. Wypędzeni zewsząd Żydzi już od owego Kazimierza Wielkiego znajdują właśnie nad Wisłą możność przetrwania, i tu różnowiercy (mimo rozruchów podjudzanego przez kler motłochu, który np. w roku 1574 podpalił świątynię ewangelicką w Krakowie) mogą praktykować jawnie, ba! otwarta jest im droga do najwyższych państwowych godności. W tym też duchu powstaje związek (może bardziej społeczny i naukowy niż religijny?) „Braci Polskich", przezywanych arianami, zrzeszający uczonych tej miary, co Przypkowscy, pisarze europejskiej klasy, i wielu podobnych wielkością serca i umysłu.

Wykrystalizowała się też wtedy pozycja, okrzepła postawa polskiej szlachty, powstałej z rycerskiej i zarazem rolniczej warstwy narodu, szlachty sprawującej powszechne parlamentarne rządy kraju, mimo, że „dobrze urodzeni" stanowili tylko mniejszość. Władali, wpływając i na wybór króla – co przeszło niebawem w tzw.

It should also be stressed that in a Europe which was witnessing ever more numerous and horrifying burnings at the stake by the Inquisition, when Giordano Bruno died a martyr's death in the flames, when Galileo was forced to bend his head before the Inquisition, and when all who opposed papal hegemony were persecuted, Poland, although Catholic, became an oasis, an asylum of tolerance. Jews who had been driven out elsewhere found refuge and the possibility of survival on the banks of the Vistula as early as the reign of Casimir the Great. People of other faiths (despite various disturbances, when for instance, a mob incited by the clergy set fire to an Evangelical church in Cracow in 1574) could practise their religion openly and were even eligible for the highest state posts. This was the spirit that led to the formation of the Arian sect of the Polish Brethren (which was perhaps more social and academic than religious in character) whose members included scholars of such calibre as the Przypkowskis and many other men of great heart and mind.

This too was the time of the crystallization and consolidation of the position and attitude of the Polish gentry, which had grown from the knights having their roots in the land, a gentry class running the country on parliamentary principles, even though the "well-born" constituted a minority. They were influential in electing kings and this led to what was known as free election, when votes were cast to decide which of the candidates was to don the crown of Poland and the mitre of Lithuania on his head. In running their country, the gentry cultivated what they called their "golden freedom", which meant all the privileges they had won throughout the ages. So it was with real horror that the gentry received the idea of *absolutum dominium*, of an autocratic

wolną elekcję, gdzie przegłosowywano, który z kandydatów ma włożyć koronę Polski i mitrę Litwy na skronie – a władając przestrzegali tego, co zwano „złotą wolnością", a więc przede wszystkim swoich przywilejów, gromadzących się od stuleci. Toteż szczególną odrazą przejmowała szlachtę myśl o *absolutum dominium*, o samowładnych monarchach rządzących wedle własnych, niekoniecznie z kimkolwiek niższym od tronu ustalanych zamysłów. I chociaż ta właśnie „złota wolność" z jej prawem sejmowego veta, kiedy to jeden poselski głos mógł zerwać całe obrady, chociaż ta swoboda z biegiem lat zrodziła niejedno warcholstwo, samowolę grupek, frakcji, stronnictw magnackich i intryg rozkruszających siłę Rzeczpospolitej, to w dobie najokrutniejszych prześladowań religijnych stała się u nas tamą dla krwawej nietolerancji. Tak, gdyż przykład straszliwej „Nocy św. Bartłomieja" i jej podobnych posępnych wydarzeń kazał polskim szlachcicom, bez względu na to, czy kultywowali katolicyzm rzymski, kalwinizm, luteranizm lub inne odmiany religii, myśleć nie o tych różnicach, ale o wspólnym przeciwstawieniu się ewentualnej królewskiej hegemonii; i stąd na przykład wstręty czynione współsprawcy rzezi hugenotów, Henrykowi Valois, gdy miał wstąpić na tron polski. Stronnicy Francuza – jak powiada profesor Janusz Tazbir – „starali się przekonać szlachtę, iż Henryk pragnął rzekomo za wszelką cenę zapobiec wypadkom paryskim, a gdy mimo to doszło do nocy św. Bartłomieja, przeciwstawiał się furii oraz okrucieństwu tłumów, a nawet jakoby ukrywał zagrożonych hugenotów..." Było to oczywiste kłamstwo, popełnione dla zyskania sobie mas szlacheckich, które już od lat znały słowa wypowiedziane przez ostatniego z Jagiellonów, Zygmunta Augusta: „Nie jestem królem waszych sumień". Tak brzmiała tolerancyjna, wyprzedzająca dzisiejszą Kartę Praw Człowieka, dewiza naszego władcy; akurat tego samego, który się też wsławił inną – marginalną, lecz jakże znaczącą – sceną z panem Pszonką. Dla objaśnienia incydentu sięgnijmy po fundamentalną dla naszej tradycji *Encyklopedię staropolską* Zygmunta Glogera z zeszłego wieku, znaczną mottem: „Obce rzeczy wiedzieć dobrze jest – swoje, obowiązek".

monarch ruling according to his own idea without consultation with anyone beneath him. And although it was precisely this "golden freedom" with the right to parliamentary veto – meaning that any one of the members of the Seym (Polish parliament) could break off the debates, which led, with every passing year, to more than one case of dissension, licentious action by groups, factions, magnates' parties and intrigues when the Commonwealth was crumbling – in the times of the most cruel religious persecution it was a factor holding back the wave of intolerance that caused so much bloodshed. The example of the terrible Massacre of St. Bartholomew's Day and similar grim happenings made the Polish gentry think not of religious differences, but of uniting to oppose the possibility of royal hegemony, regardless of whether they were Roman Catholics, Calvinists, Lutherans or belonged to some other sect. And this accounts for the difficulties put in the way of Henry of Valois, who was co-responsible for the massacre of Huguenots, when he was to ascend the Polish throne. Those in favour of the French prince – as we are told by Professor Janusz Tazbir – "tried to convince the gentry that Henry had endeavoured at all costs to prevent the happenings in Paris, but when despite this the Massacre of St. Bartholomew's Day took place, he had gone against the fury and cruelty of the mob and had even allegedly helped the threatened Huguenots to go into hiding." This, of course, was a lie told to gain the support of the whole gentry, who for years had known the words spoken by the last of the Jagiellons, Sigismund Augustus: "I am not the king of your consciences." Such was the tolerant motto of our king, observed long before the Charter of Human Rights of today. This same monarch was also famed for his conversation with a certain Mr. Pszonka, which though marginal in character had its eloquence. We find an account of this scene in Zygmunt Gloger's *Old Polish Encyclopaedia*, a fundamental source on our tradition, published in the last century, which bears the motto: "It is good to know about foreign lands, and a duty to know your own."

Pod hasłem „Babińska rzeczpospolita" pisze tedy Gloger, że w XVI stuleciu niejaki pan Stanisław Pszonka, sędzia lubelski, wraz z wesołymi a myślącymi przyjaciółmi, założył na wzór staroateński własną – jak powiedzielibyśmy dzisiaj – satyryczną republikę w dobrach Babin, dziedzicznych swych ziemiach. „Babińczycy – powtarza za historykiem renesansowym Gloger – wzorowali się na porządku i urządzeniach Rzplitej polskiej. Wybierali dla siebie: senat, biskupów, wojewodów, hetmanów, sekretarzy itd. Jeżeli ktoś mówił o rzeczach podniosłych, nie mających związku z jego stanowiskiem, zostawał arcybiskupem babińskim; kto się jąkał, rzucał paradoksami lub prawił rzeczy niewiarogodne, tego mianowano mówcą lub kanclerzem. Chełpiącemu się z męstwa i odwagi przyznawano godność hetmana albo rycerza pasowanego. Kto celował w kłamstwach myśliwskich, zostawał łowczym..." Aż wreszcie – „... pewnego razu zapytał się Pszonki Zygmunt August, czy babińczycy mają także swojego króla, na co Pszonka miał odpowiedzieć: – «Uchowaj Boże, najjaśniejszy panie, ażebyśmy za twego życia mieli myśleć o wyborze innego króla; panuj tu i w Babinie». Król miał się roześmiać i całe otoczenie jego śmiechem wybuchnęło".

Historia ta zakrawa na wielce prawdziwą, nie mogło przecież bez śladu przejść wychowanie Zygmunta Augusta na potężnym dworze ojca, Zygmunta Starego. Obok najjaśniejszego pana królował był po swojemu inny, potężnej indywidualności człowiek, mianowicie Stańczyk z własnym berłem, kaduceuszem, insignium mędrca–błazna. Postać Stańczyka trwa żywo w naszej tradycji. Jeden z największych naszych malarzy, dziewiętnastowieczny Jan Matejko, nieraz postacią błazna symbolizował przenikliwość polityczną. Uczeń Matejki, Stanisław Wyspiański – czyniąc też aluzję do grupy publicystów, którzy Stańczyka wzięli sobie za patrona – wprowadza trefnisia-filozofa do znaczącej swej sztuki, do *Wesela*, wciąż wznawianego jako ważny komentarz polskiego losu.

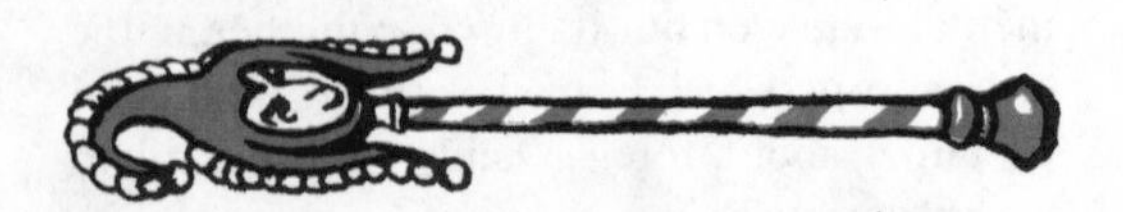

Gloger writes in the article *Babińska rzeczpospolita* (The Commonwealth of Babin) that in the 16th century a certain Mr. Stanisław Pszonka, a judge of Lublin, and his fun-loving but perceptive friends, founded their own ancient Athenian Republic in his hereditary estate of Babin, which today we should call a satirical republic. "The Babin republicans", says Gloger, quoting a Renaissance historian, "took as their model the social order and institutions of the Polish Commonwealth. They elected a senate, bishops, voivodes, hetmen, secretaries, etc. A man who spoke of exalted things having nothing to do with the office he held, was elected archbishop of Babin; a man who stuttered, uttered paradoxes or told of unbelievable things, was appointed a speaker or chancellor; a man who boasted of his manliness and courage was appointed hetman or dubbed a knight; a man who could tell the best tall hunting stories was made master of the hunt." And then: "One day King Sigismund Augustus asked Pszonka if the people of Babin also had their own king and Pszonka replied 'God forbid, Your Majesty, how could we think of electing another king while you live, you rule Babin, too.' The king is said to have laughed heartily, at which all the members of his retinue burst into laughter too."

It is quite probable that this story is true, for Sigismund Augustus grew up in the powerful court of his father, Sigismund the Old, where, besides His Majesty, a man of great individuality ruled in his own way, namely the court jester *Stańczyk* wielding his own sceptre, his caduceus, insignia of the wise joker. Stańczyk has a lasting place in our tradition. One of the greatest Polish painters, Jan Matejko, who was active in the 19th century, often used the jester as a symbol of political shrewdness. Matejko's pupil, Stanisław Wyspiański, alluding also to a group of journalists who chose Stańczyk as their patron, introduced the jester-cum-philosopher character to *The Wedding*, his still topical play which is staged repeatedly as an important commentary on Poland's fate.

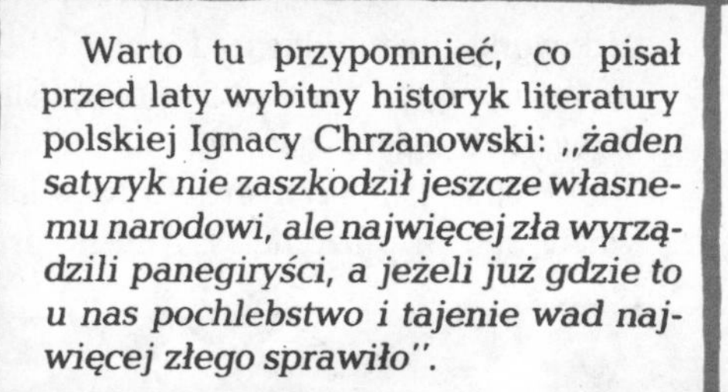

Warto tu przypomnieć, co pisał przed laty wybitny historyk literatury polskiej Ignacy Chrzanowski: *„żaden satyryk nie zaszkodził jeszcze własnemu narodowi, ale najwięcej zła wyrządzili panegiryści, a jeżeli już gdzie to u nas pochlebstwo i tajenie wad najwięcej złego sprawiło".*

It should be recalled here what years ago Ignacy Chrzanowski, an eminent historian of Polish literature, wrote: "No satirist has harmed his own nation and most damage has been done by eulogists; undeniable here in this country adulation and hiding of faults have caused the gravest harm."

Pomówmy o Stanisławie Wyspiańskim, artyście krakowskim, przedziwnym dlatego, że mimo krótkiego życia (umiera w 1907 roku, mając ledwie 38 lat) wysterował swoimi dziełami ku, rzekłbym, intensywnej poezji tyle dziedzin sztuki w Polsce, ile gdzie indziej i kiedy indziej nie potrafiły ukształtować nawet całe grupy twórcze. A był to akurat okres programowych –

i gromadnych właśnie – przewrotów estetycznych, zwanych już to *modern style*, już to *art nouveau*, *The New Art*, *Jugendstil*, *Sezessionsstil*, czy, jak u nas – secesją. Jej zamierzony cel stanowiło (na przekór pompatycznie mieszczańskim gustom wtórnych, eklektycznych zjawisk) stworzenie w giętkich i swobodnych liniach nowych pojęć o pięknie. Całe zastępy ówczesnych kontestatorów plastyki i literatury

A word here about Stanisław Wyspiański, the Cracow artist, who despite his short life (he died in 1907 when he was only 38) produced works that influenced many fields of art in the direction of what I should call intensifying their poetic quality, a thing whole artistic groups had been unable to achieve elsewhere and in other times. And he lived in an epoch of programmes – promoted precisely by groups – of aesthetic revolution known under the names of the *style moderne, art nouveau,* Modern Art, *Jugendstil,* the *Sezessionstil,* and in Poland *Secesja*. The aim of these programmes (in defiance of the pompous, derivative, eclectic tastes of the burgher class) was to create a new notion of beauty expressed in freely flowing lines. Hosts of contesters in the field of art and literature evolved shockingly new forms of architecture, poetry, ornamentation, interior decoration, painting, graphic art and sculpture, rivalling each other in capricious fantasy. The new forms spread to the artisans and were reflected in the amazing "peacock" embroideries, in jewellery, dressmaking and tailoring, footwear and glassware all colours of the rainbow cast in fantastic, soft whirls and icicle-like shapes. The opponents of the moderns called it mockingly "spaghetti art", but Wyspiański turned the twirls of the new genre to his own purpose

powoływały – szokujące kapryśną fantazją – nowe kształty architektury, poezji, zdobnictwa, wnętrzarstwa, malarstwa, z grafiką i rzeźbą, a także rzemiosła w postaci zaskakujących „pawich" haftów, biżuterii, krawiectwa, szewstwa oraz lanego miękkimi soplami szkła o barwach tęczy. Przeciwnicy moderny kpili: „sztuka z makaronu", lecz właśnie Wyspiański, snując secesyjne zawijasy, umiał narzucić swoje poetyckie widzenie w malarstwie (ściślej: w pastelu, niejako w buncie przeciw solennym obrazom olejnym okresu „pompierstwa", akademizmu), w rysunku również książkowym i prasowym, witrażu, a także baśniowej, helleńsko-prasłowiańskiej scenografii, nawet w meblarstwie. Równolegle, wciąż na wysokościach godnych Baudelaire'a czy Apollinaire'a*, przetwarzał odkrywczo kanony teatru, będąc zarazem reżyserem, tłomaczem klasyki scenicznej, a przede wszystkim wielkiej miary dramaturgiem – i sztuki jego do dziś nie schodzą z afisza, co tyczy zwłaszcza *Wesela*, utworu stale aktualnego literacko, historycznie i społecznie. I tak, jak w kompozycjach Chopina zawarła się nuta narodowa, ludowa, również Wyspiańskiego metaforyczne fantazje – od Olimpu przez walki powstańcze do chłopskiej chaty – wrośnięte są tysiącem korzeni, czy raczej nerwów w naszą glebę, w podłoże polskości. Stąd, być może, bierze się straszliwa trudność przekładu, nie tyle na języki, ile na odczucia obce i chyba tylko świetny film Wajdy według *Wesela* ukazać potrafił cudzoziemcom ów niesamowity splot poezji z cierpieniem narodowym, aforyzmu ogólnoludzkiego z konkretną podkrakowską wsią. Co zaś dla biegnącej tu gawędy szczególnie jest bliskie, to rys, o jakim mówi osobisty przyjaciel i wyznawca Wyspiańskiego, Tadeusz Boy-Żeleński (o którym już była mowa):

[W jakimś liście do znajomej Wyspiański] „dziękując za obszerną recenzję o *Legendzie*, objaśnia pewne rzeczy, które uszły jej wzroku: Wanda – pisze – jest córką Kraka i Wiślany [nimfy rzecznej – S.K.] i dlatego jest r u s a l n a.

* Warto wiedzieć, że Guillaume Apollinaire, acz tak bardzo francuski, zwał się w istocie, skoro był pochodzenia polskiego – Wilhelm Apolinary Kostrowicki.

of projecting his poetic vision, in painting (to be more exact in his pastel drawings that were a kind of rebellion against the solemn pomposity of academic oil paintings), in his illustrations for books and the press, his stained-glass windows, as well as his fabulous Hellenic-pre-Slav stage sets and even in furniture designs. At the same time, still achieving an artistic level on a par with Baudelaire or Apollinaire,* he made revelatory transformations in the canons of the theatre as a stage director, translator of theatrical classics and, above all, a playwright of great calibre. His plays are still regular items in the theatre repertoire today, particularly *The Wedding,* which has lost none of its literary, historical and social values to this very day. And just as Chopin's music contains an echo of the songs and dances of his nation, Wyspiański's metaphorical fantasies – taking us from Olympus, through insurgents' struggles to the peasant cottage – have thousands of roots, or should we say nerves, in our realm, in the very heart of everything that is Polish. And it is perhaps for this reason that his works are so terribly difficult to translate, and I do not mean literal translation into foreign languages, but in their reception by foreigners; I think that only Wajda's brilliant film based on *The Wedding* succeeded in conveying to foreign viewers that indescribable intermingling of poetry with the sufferings of the nation, aphorisms common to all mankind with the concrete reality of a village outside Cracow. And now to show how closely Wyspiański is connected with the story I am telling I will quote a personal friend and admirer of his, Tadeusz Boy-Żeleński (already mentioned earlier).

"In a letter to a friend Wyspiański, expressing thanks for an extensive review of *Legenda* (Legend), explained certain things that she had failed to notice: 'Wanda,' he writes, 'is the daughter of Krak and Wiślana [a river nymph, S.K.] and that is why she is *undineous.*'

* As a matter of interest, Guillaume Apollinaire, though very French, was of Polish origin and his real name was Wilhelm Apolinary Kostrowicki.

Zadumałem się przy tym objaśnieniu – powiada Boy. – Ujrzałem jakby błysk światła. A on? A Wyspiański? Czyż on nie jest «rusalny»? Czy nie można by sobie wyobrazić, że jego ojciec, stary rzeźbiarz Wyspiański, jeden z owych poetów w duszy, którzy lubią zajrzeć do kieliszka, zabłąkał się pewnej nocy na brzeg Wisły i tam spłodził syna z rusałką czy wodnicą?

Gdyby ta hipoteza miała cień uprawnienia naukowego, wiele rzeczy stałoby się nam jasne w tym najdziwniejszym z ludzi, jakim był Stanisław Wyspiański. Z wieloma poetami obcowałem w druku, z niektórymi osobiście, ale nigdy nie miałem tego uczucia, co wobec Wyspiańskiego, mianowicie, że to było c o ś zupełnie inaczej stworzonego od wszystkich innych ludzi. Już teraz wiem, że jest «rusalny». Stąd jego stosunek do roślin, do kwiatów, z którymi łączy go związek najwyraźniej osobisty – może jacy krewni? – stosunek do świata duchów, do świata tych wodnic i rusałek: to nie poetycki aparat, to rzeczywistość. Bo co my wiemy o świecie? Wyobraźmy sobie (a można to sobie wyobrazić doskonale), że tak samo

"This explanation started off a train of thought," said Boy. "It came to me in a flash. And what about him? What about Wyspiański? Isn't there something 'undineous' about him? Can't you just imagine his father, old Wyspiański the sculptor, one of those poetic souls with a liking for the bottle, getting lost one night, stumbling down to the Vistula and begetting his son with an undine or water sprite?

"If this hypothesis had the faintest chance of being scientifically recognized, it would explain a lot of things about one of the strangest of men – Stanisław Wyspiański. I have known many poets from their printed works and some personally, but I have never had the same feeling about any of them as I have about Wyspiański, namely that this was *something* fashioned quite differently from other people. But now I know, he was 'undineous'. Hence his attitude towards plants, towards flowers, with which he obviously had some special personal relationship – perhaps they were relations? – or his way of looking at the

dawniej mogły być całe plemiona ludzi, którzy nie zatracili jeszcze tych właściwości: w takim razie, czyż świat ów, który przetrwał w legendzie, świat wodnic, rusałek, dziwożon, czyż nie był rzeczywistością? Bo wszak r z e c z y w i s t o ś ć to to, co widzi w i ę k s z o ś ć l u d z i: system niemal parlamentarny. Wyspiański był «rusalny»; mam na to jeszcze jeden dowód. W życiu, w twórczości był on ascetą; nie czuł kobiety, kobieta prawie że nie istnieje dla niego. A teraz weźmy, jaka fala potężnej zmysłowości idzie od tych jego zjaw wodnych, od tych rusałek. Na ziemi to świat trudu, walki, pokusy; tam, w tych falach Wisły, zdławione na ziemi tęsknoty budzą się potężnie i kusząco w zetknięciu z lubieżną falą. Czy to nie spadek po matce rusałce? Czyż te piosenki wiślane nie robią wrażenia czegoś nie wymyślonego przezeń, ale słyszanego niegdyś? [...] Co nas obchodzi Wanda? Dla mnie uroczym jest tu sam Wyspiański, który, znalazłszy się w wiślanej fali, w tym świecie, gdzie nie ma już żadnych nakazów, obowiązków, w towarzystwie (w duchu mojej hipotezy) swoich miłych kuzyneczek-rusałek, pozwala odtajać sercu, zmysłom, i daje zakwitnąć temu, co całe życie dławił w nim na ziemi «ten trud, co go zabijał»*... To nowy zupełnie Wyspiański; jakże inny od tego, który zabłąkał się na ziemię".

---

* Cytat z wiersza Wyspiańskiego pt. *Niech nikt nad grobem mi nie płacze.*

world of spirits, the world of the water sprites, the undines: this is no poetic workshop, but a reality. For what do we know of the world? Let us imagine (and it is quite easy to imagine) that, just the same, in olden times there were whole tribes of people who had not yet lost these attributes; and was not the world that has come down to us in legends, the world of water sprites, undines, merwives, a reality? For after all *reality* is that seen by the *majority* of the *people*: an almost parliamentary system. Wyspiański was 'undineous'; I have one more proof of this. In his lifetime, in his art, he was an ascetic; he had no intuitive feeling for women, they hardly existed for him. But look at his water sprites, his undines, what a powerful emanation of sensuality one feels in them. Life on the land was one of toil, struggle, temptation; there in the waters of the Vistula the yearnings suppressed on land become intense, alluring in the voluptuous embrace of the waves. Could this be a heritage from his undine mother? Do not his songs of the Vistula give the impression that he did not compose them, but must have heard them at one time? ... Who cares about Wanda? For me the whole charm is in Wyspiański himself, who once in the waters of the Vistula, in a world no longer bound by commands or duties, in the company (according to my hypothesis) of his delightful cousins, the undines, lets the ice in his heart thaw, the fetters fall from his senses and allows his inner self, suppressed all his life on land by 'toil that was the death of him'* to flower at last... And we have a completely new Wyspiański, very different from the man who lost his way and found himself on land."

---

* Quotation from Wyspiański's poem *Weep not over my Grave.*

Do dziś stare mury Krakowa, przeplecione na miejscu dawnych obwarowań pasmem Plant, czyli dookolnego parku, pełnego tajemniczych cieni, mury te, zaułki i uliczki są scenerią dla postaci niezwykłych, jak na przykład Piotr Skrzynecki, przybyły (by tworzyć przedziwny teatrzyk w piwnicy starego pałacu) prosto z bajek Andersena, jak wizjoner plastyki, happeningu, sceny i filozofii sztuki, Tadeusz Kantor; nawet nauczyciel najsławniejszej obecnie szkoły tańca musi się w Krakowie nazywać Wieczysty... A wszystko to – na modłę twórczości Wyspiańskiego – wyrasta z realiów Krakowa w sposób najnaturalniejszy, biorąc soki z powszedniości, ludowości, folkloru, aby rozkwitnąć (jak poezja współczesnego barda tamtejszych ruder podmiejskich, Broniuszyca-Harasymowicza), rozświetlić się w historii naszej kultury trwałym blaskiem. Oto – dodam jeszcze jeden przykład – zjawisko szopki, czysto polska specjalność, wyrosła samorzutnie z faktu... bezrobocia dawnych murarzy zimą. Serio, albowiem właśnie cech murarski, od jesieni czekający do wiosny na pracę, zasłynął wskrzeszeniem średniowiecznych spektakli misteryjnych, gdyż w okresie Bożego Narodzenia grupki rzemieślników krążyły od domu do domu niosąc miniaturowy teatrzyk kukiełkowy (szopkę, symbolizującą w postaci małego kościółka tę stajenkę w Betlejem, gdzie Chrystus się rodził), kukiełki zaś – gdzie indziej przerodzone w Guignola, Pantalone czy Puncha – „śpiewały" u nas strofki głoszące chwałę na wysokościach a pokój na ziemi. Był to stały zestaw tradycyjnych laleczek, a więc, prócz Świętej Rodziny, sakramentalny zły Herod napastowany przez diabła i kościstą śmierć, trzej królowie, pasterze, a z czasem postaci lokalne, polskie, jak żołnierz, handlarz-Żyd, czy zamaszysty szlachcic. I cóż się (właśnie w dobie Wyspiańskiego) dzieje? Oto młodzi artyści, głównie z Akademii Sztuk Pięknych, wraz z poetami, muzykami i gromadą innych twórców, podchwytują szopkowy obyczaj, wprowadzając jednak osoby konkretne, a więc lokalnych polityków, profesorów, tudzież mnóstwo innych VIPs, prominentów – skarykaturowanych i wyśpiewujących – już nie tylko na melodie obrzędowe, ale na nutę popularnych arii – satyryczne teksty pełne

To this day the old walls of Cracow rising here and there amid the Planty Gardens, which encircle the old town in the place of former ramparts, with their air of mystery, full of shades of the past – these walls, alleys and narrow streets are a setting for exceptional characters. Piotr Skrzynecki who might have stepped out of one of Andersen's fairy tales, chose this setting for his strange theatre in the cellars of an old palace; it is the habitat of Tadeusz Kantor, with his visionary ideas in the field of art, his explorations in "happening", staging and philosophy of art; even the dancing master of the most famous school of dancing

złośliwych aluzji i przycinków... Znany nam już Boy do takiej właśnie szopki zaczął pisać swoje pierwsze teksty, by wyrosnąć potem w literackiego olbrzyma. Sama zaś instytucja szopki, polska *spécialité de la maison*, utrwaliła się w naszej satyrze na długie lata, do dziś przynosząc niemal co roku (piórami co świetniejszych pisarzy) w zimowym okresie porcję satyry splecionej z karykaturą i muzyką w swoistą całość.

must, in Cracow, bear the name of Wieczysty (meaning eternal)... And after the fashion of Wyspiański's works – all this springs quite naturally from the realities of Cracow, nourished by the everyday life of the town and its folklore, to flower (like the poetry of today's bard of the ramshackle Cracow suburbs, Jerzy Broniuszyc-Harasymowicz) and illuminate the history of our culture with lasting brilliance. Another example is the purely Polish phenomenon of the Cracow Nativity Cribs, evolved spontaneously from the fact that... Cracow bricklayers were out of work during the winter time. But seriously, the bricklayers' guild, in the slack period from autumn till spring, became famous for the revival of Mediaeval mystery plays. At Christmas time groups of artisans went round from house to house carrying a miniature puppet theatre (the Nativity Crib, symbolizing in the form of a small church the Bethlehem stable where Jesus Christ was born) while the puppets – like the Guignol, Pantalone or Punch of other countries – "sang" hymns of glory to heaven and peace on earth. They had a traditional set of puppets which, apart from the Holy Family, included the terrible Herod attacked by the Devil and bone-rattling Death, the Three Magi, Shepherds and, as time went by, also local Polish characters such as the soldier, the Jewish merchant or the dashing squire. And going back again to the times of Wyspiański, what do we find? Young artists, mainly from the Academy of Fine Arts, poets, musicians and a host of other representatives of the arts, took up the old Nativity Crib custom, introducing new characters, this time local politicians, professors and all sorts of VIPs – caricature figures that sang satirical texts full of mocking allusions and jibes, not to the old ritual tunes, but to the melodies of well-known arias... Boy-Żeleński began his great literary career by writing texts for these satirical puppet shows. From then on, puppet satire, a Polish *spécialité de la maison*, became a sort of national institution which was to last. To this day the winter season nearly always brings its crop of satire (by the best writers) in puppet shows, where caricature, words and music go to make up a specific kind of entertainment.

Zasię owa gromadka, która stworzyła ideę literackiej szopki – przerodziła się w środowisko mające ogromny wpływ na kształt całej naszej kultury i sztuki. Pod umowną nazwą „Młodej Polski" zrewolucjonizowano wszystkie typy twórczości, wpuszczono świeże prądy umysłowe i – jak powiada Wyspiański w *Weselu* – „poszły z tego dymy po całej literaturze", plastyce, sposobach myślenia i odczuwania. Ani się mogli spodziewać krakowscy murarze, pod co zbudowali trwałe fundamenty!

Mimo wszelkie konieczności ograniczeń miejsca w tej, z natury tylko sygnalizującej zjawiska, książeczce – nie wolno przy opisie Krakowa pominąć jednego nazwiska: J a n a M a t e j k i. Jak ongiś Petrarce rodacy w specjalnej uroczystości przydali złoty wieniec i tytuł *Poeta Laureatus*, tak temu malarzowi społeczeństwo polskie wręczyło berło ze szczególnym mianem Króla Sztuki! W drugiej połowie ubiegłego wieku, gdy Paryż już przerastał nowymi zjawiskami plastycznymi, zwanymi potem impresjonizmem – twórca ten (nie mniej mistrzowski swoją paletą, niż tamci znad Sekwany, czego dowody wiszą po muzeach, lecz nie rozsławiony tak jak oni w dziedzinie operowania barwą), twórca ten oddał się całkowicie w służbę narodową specjalnego rodzaju. Oto ogromnymi płótnami ukazywał najpotężniejsze chwile dziejów ojczystych, podkreślał wielką rolę pełnioną całymi wiekami przez rozległe, silne królestwo Polski, dobywał przed oczy ludzi zniewolonych obcą przemocą – ich majestatyczne i głębokie tradycje narodowe. Do dziś te olbrzymie tyrady pędzlem, księgi dumy pisane kolorem, wołanie o godność plastyką czynią wielkie wrażenie i uświadamiają nam stale, że istniał wśród nas i tworzył dla nas artysta, który postawił wyżej nad laury malarskie obowiązek krzepienia serc wizerunkami znaczącej przeszłości, w czym nikt i nigdzie Matejce dorównać nie był w stanie.

The originators of the literary puppet show later developed into a group having a tremendous influence on our culture and art. Taking the name of *Młoda Polska* (Young Poland), this group revolutionized the arts and initiated new intellectual trends, and, as Wyspiański put it in *The Wedding*, "the smoke from it permeated all our literature", art, ways of thinking and feeling. The Cracow bricklayers probably never dreamt they were laying the foundations for anything of the sort when they revived the old mystery plays.

Although this little book is only intended to give a brief glimpse into things of interest along the Vistula, it would be incomplete if, in describing Cracow, onè name was left out; it is Jan Matejko. As once Petrarch received the golden laurel wreath and the title of *Poeta Laureatus* from his fellow-countrymen at a special ceremony, so the people of Poland honoured this painter with the sceptre and name of the King of Art! In the second half of the 19th century, when in Paris the new artistic trend later known as Impressionism was developing, this artist (just as great a master of the palette as the artists on the banks of the Seine, proof of which can be seen in the museums, though he did not gain the fame they did in the use of colour) devoted his life entirely to a specific service to his nation. In enormous canvases portraying the most inspiring moments in the history of his country he emphasized the great role played for centuries by the extensive, powerful kingdom of Poland, showing to the people then oppressed by foreign rule, the majesty and depth of their national traditions. To this day those huge oratories of the brush, books of pride written in paint, a voice calling for dignity through art, make a great impression on all who see them and are a constant reminder that there lived among us an artist whose work was done for us and who put the duty of giving heart to his nation before any laurels he might win for his painting. And those images of the glorious past are something unsurpassed anywhere by anybody.

No, a sam czarodziejski Kraków, który nie mogąc władać w kraju rozdartym między trzech zaborców, potrafił duchowo nadal stanowić jego stolicę? Co dzieje się obecnie z tym fascynującym miastem?

Kraków istotnie stanowi perłę zabytków w skali ogólnoświatowej i jasne jest, że dziś z ogromną energią przystępuje się do przywrócenia mu niegdysiejszego piękna, tak urbanistycznego jak architektonicznego oraz zdobniczego. Zapada się, zżarta przez pobliskie paskudztwa industrialne i przez erozję, Wenecja, bielcją potwornym, śmiertelnym nalotem skarby Aten, Rzymu, Paryża, Londynu czy stu innych świętości kultury ludzkiej, zżarte spalinami i smogiem. Tak też zaczął umierać cudowny pejzaż Krakowa, rozpylały się rzeźby i kruszyły fasady, gdyż do „normalnych" wyziewów samochodowych i ogrzewczych dołączyły w kotlinie krakowskiej mordercze zawiesiny powietrznych trucizn w dymach dookolnych kombinatów przemysłowych: hut, przetwórni chemicznych i tak dalej. Ginął olśniewający urodą i tradycją Kraków. Teraz ruszono z pomocą, sypnęły się, obok dotacji oficjalnych, pieniądze obywateli z kraju i spoza kraju, ruszyły ekipy do rekonstrukcji, do odkrywania dawnych warstw piękna, do umacniania tynków, wiązań, malowideł i murów. Niestety, powietrze tamtejsze jest ciągle takie, o jakim śpiewał pewien amerykański satyryk estrady, że „można nim wprawdzie oddychać, ale się nie należy zaciągać". Jesteśmy tedy świadkami walki między ratownikami a producentami chemicznego szczęścia. Zobaczymy, kto wygra wśród krakowskich ulic.

Byłoby rzeczą straszliwą, gdyby miasto to upodobniło się do swego starodawnego hejnału; jak wiadomo, co godzina z gotyckiej wieży potężnej świątyni Mariackiej (a w każde południe przez radio na cały kraj) rozbrzmiewa melodia wygrywana na sygnałowej trąbce, nuta jeszcze średniowieczna, nagle się w pół tonu urywająca. To na pamiątkę legendarnego wydarzenia wojennego, kiedy Tatarzy, podkradłszy się cichaczem pod gród, ustrzelili z łuku trębacza na wysokości – fraza jest zerwana. Byłoby zatem, powtarzam, rzeczą straszną, jeśliby kiedyś sam Kraków został przeszyty zatrutą

There is magic in Cracow, a city that, though deprived of its administrative importance, managed to remain the spiritual capital of the nation when the country was torn apart by three partitioning powers. What is happening now in this fascinating town?

Cracow is indeed a pearl among towns with its fine old historic buildings of world-wide value, and of course we are doing all we can today to restore it to its former splendour, its original layout, architecture and ornamentation. Venice is crumbling because of industrial pollution and erosion, the treasures of Athens, Rome, Paris, London and hundreds of other sacred objects of human culture are being covered by a deathly shroud of deposits, eaten away by exhaust fumes and smog. The wonderful landscape of Cracow began to die in the same way, sculptures and façades began to crumble, when in addition to the "normal" fumes from exhausts and heating installations, a deathly cloud of pollution from the surrounding industrial plants gathered over the Cracow basin, from the steel works, chemical plants and other factories. The dazzling beauty of Cracow and its traditions began to fade. A campaign is now under way to save it. Apart from official funds for this purpose donations are being made by the people of Poland and Poles living abroad, reconstruction teams have started work, uncovering the beauty of former façades, hidden under later layers, strengthening brickwork and plaster, conserving walls and murals. Unfortunately the air in Cracow is still of the kind referred to by a certain American satirist-singer in the words: "yes, you can breathe it, but don't inhale". So we are witnessing a struggle between the rescue teams and the producers of chemical wonders. We shall see who wins the battle going on in the streets of Cracow.

It would be a terrible thing if the town shared the fate of the trumpeter sounding the bugle call in bygone days. As is known, every hour a bugle call is sounded from the Gothic tower of St. Mary's Church in the Market Place (it is broadcast every day by the radio to the whole country at midday), a mediaeval bugle

strzałą chemikaliów, otaczających dziś miasto coraz ciaśniejszym, groźnym zagonem.

Szczęściem ci Tatarzy z legendy o hejnale zostali odparci i na pamiątkę ich nadejścia harcuje co roku w czasie Dni Krakowa przebrany orientalnie Lajkonik, bijący wokół gawiedź gałganianą buławą. Może w przyszłych stuleciach obok Lajkonika w tanecznym korowodzie podskakiwać będzie ktoś ucharakteryzowany na technokratę, z ziejącym dymem agregatem w dłoniach, już tylko jako pogodne wspomnienie dawno zażegnanego niebezpieczeństwa?

No, a nasza Wisła? To ona właśnie przed jakimiś dwudziestu pięciu laty po raz pierwszy zasygnalizowała, zaalarmowała Kraków, przyniósłszy falę groźnego fenolu. Mówiło się o tym ze zgrozą, a były to dopiero początki inwazji. Dziś płynie pod krakowskimi mostami jednolicie mętna, żałosna i – choć to tylko owe „mil trzynaście" – ogromnie odległa od krystalicznych źródeł. I ją, jak wieść niesie, ma się ratować, aby po dawnemu ożywszy pełna była znowu ryb i blasku, aby przypominała swoje niegdysiejsze dzieje.

call which suddenly breaks off in the middle of a note. This is in memory of a legendary happening during the Tartar onslaught on Poland, when the Tartars, having crept up to the very walls of the city, shot an arrow and killed the trumpeter as he was sounding the alarm in his high tower. This accounts for the unfinished phrase of the bugle call. So, as I said, it would be a terrible thing if one day Cracow itself were to be pierced mortally by the poisoned arrow of the chemicals gradually closing in on the town and threatening it.

Luckily the Tartars of the bugle call legend were driven out of Cracow. Another reminder of the Tartar attack are the pranks of the *Lajkonik* (hobby horse), dressed in oriental trappings, roving the streets during the annual Cracow Days Festival and hitting out at the crowd with a rag mace. Perhaps in centuries to come the *Lajkonik* will be accompanied in the procession of dancers by somebody dressed as a technocrat carrying a smoking aggregate, representing in fun a danger that has long since been averted.

And what about our Vistula? It was the Vistula that first sounded the alarm in Cracow about twenty-five years ago, when it brought a dangerous wave of phenol to the city. People spoke of this with alarm. and that was only the beginning of the invasion. Today the river flowing under the bridges of Cracow is turbid, a pitiful sight and – although this is the "thirteenth mile" referred to earlier – a far cry from the crystal clear waters of its source. But we have had the news that the Vistula is to be saved too, so that, as of old, it will live again, a gleaming river abounding in fish, remembering its good old days.

Ruszajmy naszą rzeką dalej, na północny wschód od Krakowa.

Zostawiamy za sobą miasto, o które tu ledwie zatrąciliśmy uwagą, choć zasługuje na mnóstwo – i ma już ich ogrom nie przebrany – tomów, ksiąg, foliałów i prac naukowych, poematów, wspominków, czy analiz. Od wczesnoromańskiej rotundki Św. Św. Feliksa i Adaukta przez olśniewające cuda gotyku, eksplozję renesansu, przez barok, eklektyzm kamieniczek zeszłowiecznych – aż po wyborne przykłady secesji i nowoczesne wreszcie zespoły i dzisiejszy kształt „awangardy na starociach", Kraków stanowi jedyny w swoim rodzaju zbiór zjawisk urzekających każdego, kto tu przybywa. Prawdę rzekłszy, stali mieszkańcy nie ulegają zbytnio owej euforii zachwytu, gdy im pleśń po starym murze do mieszkania włazi, lecz tu może, kto wie? – może poradzi coś współczesny remont grodu. Grodu, który będąc zarazem miastem żyjącym bieżącymi problemami, stanowi też tumbę grobową wszystkich bez mała królów, obok których spoczywają najcenniejsi dla narodu Wielcy, i którym przy największym święcie grzmi potężnym, głębokim głosem ogromny, ośmiotonowy i prawie dwu–i–pół metrowy dzwon zwany Zygmuntem. Ulać go bowiem kazał ten sam Zygmunt Stary, o którym była tu mowa, zasię spiż – jak to ukazywał pędzlem Matejko – wziął się ze świetnych zwycięstw naszego rycerstwa, gdyż ukształtowano czaszę z armat, zdobytych polską walecznością – dodając do stopu, jak chce legenda, najdźwięczniejszą strunę z lutni ówczesnego wirtuoza muzyki i pieśni, wielkiego Bekwarka...

But it is time we went further down our river, to the north-east of Cracow.

And so we leave this town, which deserves much more attention than we have been able to give it. But countless volumes, fascicles, scientific works, poems, reminiscences and analyses have already been devoted to its history, from the early Romanesque rotunda of St. St. Felix and Adauctus, the magnificent Gothic architecture, the Renaissance explosion, through the Baroque, the eclectic architecture of the houses built by Cracovians in the 19th century, to fine examples of the Art Nouveau movement at the turn of the century, the buildings of modern times and today's "avant-garde trends in a nostalgic setting". Cracow is the only example of its kind, a collection of phenomena that lay their spell on everyone who visits the town. If the truth be told, the permanent residents are not quite so spellbound, living as they do within old walls and having to cope with the odd patch of mildew creeping into their homes. But who knows? – perhaps the present capital repairs will remedy this problem. Cracow, a town occupied with its current problems, is also the place where one can see the tombs of almost all the kings of Poland, beside whom the greatest sons of the nation have also been laid to rest, the place where, on special occasions the eight-ton, two-and-a-half-metre Sigismund's Bell resounds, deep and powerful, over the city. This bell, so named after Sigismund the Old by whose order it was cast, was made from bronze contributed by Poland's courageous knights after victorious battles (portrayed by Matejko). For the metal came from captured guns and the alloy was enriched, as legend has it, with the most sonorous string from the lute of Bekwaerk, the famous contemporary bard.

Rozdział 3

OD KRAKOWA DO SANDOMIERZA

Mógłby ktoś pomyśleć, że wybrzydzając na zatrucie Krakowa z powietrza i wody marzyłbym o pejzażu wyłącznie sielskim, starodawnym, bez cementu, bez stali, bez mnóstwa nieodzownych dziś (i jutro) składników życia. Oczywiście, byłaby to nieprawda i zapewne nie ma obecnie na świecie nikogo, kto by chciał wracać do utopijnych marzeń o życiu na łonie natury, toteż należę do myślącej realnie armii tych, którzy wołają o co innego, niż cofnięcie cywilizacji: wołają o jej uzdrowienie. Apele największych uczonych i światowych działaczy (jak np. świetlanej pamięci U·Thanta) wskazują inne wyjście, a mianowicie stosowanie zabezpieczeń przed wyziewami, wydzielinami i odpadkami, inaczej bowiem, goniąc za natychmiastową, doraźną korzyścią bez myśli o jutrze, znajdziemy się w sytuacji bakterii, a więc istot nie

Chapter 3

FROM CRACOW TO SANDOMIERZ

I might have given the impression, with all the fuss I made about the air and water pollution in Cracow, that I am the sort that dreams of the idyllic country landscape of the old days, without cement, without steel and without many other things that are essential to our lives today (and tomorrow). This is obviously not true and there is probably nobody in today's world who would really want to return to Utopian dreams of the "back to Nature" type. No, I am one of the realistic thinkers, the army of people who prefer something other than a backward march from civilization, those who prefer to find a remedy for its ills. The appeals of the greatest world scholars and men of action (to mention only the late U Thant) show us another way, namely to safeguard ourselves against the pollution caused by exhaust fumes, factory chimneys

umiejących myśleć i przewidywać. Bakterii, które dążąc do zagarnięcia maksimum terenu i soków żywotnych mogą w końcu zabić organizm, na jakim żerują, a więc razem z żywicielem zginąć same bez ratunku... Już nawet w przypadku larwy gąsienicznika sprawa jest logiczniej ustawiona przez naturę, albowiem instynkt poucza tę larwę, aby – drążąc i zjadając od wewnątrz nieszczęsną liszkę motyla – omijała skrupulatnie te narządy, które są liszce do życia niezbędne. I dopiero, gdy okrutny, nieproszony gość dojrzewa do przemiany w skrzydlatego owada, wtedy przegryza chronione dotychczas linie życia żywicielki. My jednak nie bardzo mamy dokąd odfrunąć z pożeranej naszą zachłannością Ziemi, toteż przy całym bezlitosnym postępowaniu bądźmy na tyle sprytni, aby pozostawiać czynnymi podstawowe funkcje cennej, żywej spiżarni... Tymczasem unicestwienie lasów, zwłaszcza „płuc planety", czyli największych puszcz w rodzaju Amazonii, Kanady czy innych, tymczasem skażenie wód – nie tylko mnożącymi się plamami ropy, ale głównie śmiercionośnymi dostawami trucizn przez rzeki – i wysysanie żyzności gleby, wszystko to razem zmierza ku przyspieszeniu zagłady. O ile nie zrozumiemy wcześniej, a chyba jednak zrozumienie to wzrasta, że tak jak zadanie ciosu naszej egzystencji, również jej ocalenie leży w naszej mocy.

Istnieje ponadto, na potrzeby bieżącej gawędy, jeszcze jeden powód, dla jakiego nie ukazuję tu nazbyt rozlegle spraw przemysłu, industrializacji i podobnych nowoczesności cywilizacyjnych, ale sięgam uwagą w inne rejony. Otóż nie chciałbym wobec czytelnika, zwłaszcza żyjącego w krajach uprzemysłowionych, wyglądać jak pewien snobistyczny aktor z któregoś warszawskiego teatru. Rozpychał się on kiedyś łokciami w tłumku witających na lotnisku słynnego Laurence Kerr Oliviera, a gdy dopadł wreszcie wielkiego artysty scen i ekranów, zawołał głośno i z akcentem, jaki uważał za oksfordzki: „Sir Laurence, moja żona jest Angielką!" – na co przybyły skłonił grzecznie głowę i wyrzekł chłodno: „Oh, moja także". Anegdota ta przypomina mi się często, gdy oglądam różne albumy o Polsce, kraju wyjątkowo pięknym i bogatym w atrakcje turystyczne,

and waste matter, because otherwise we shall find ourselves living like bacteria, that is creatures with no power to think and look ahead, that in their endeavours to seize the maximum amount of terrain and vital sap may in the end kill the organism from which they feed and are doomed to die with it... Even in the case of the ichneumonoid larva Nature has arranged things logically, endowing it with instinct so that it knows when feeding on a butterfly caterpillar that it must avoid the organs that are essential to its life. And only when this cruel uninvited guest matures to the stage when it is to undergo the metamorphosis into a winged insect does it bite through the previously protected lifeline of its host. But we have not anywhere to fly off to when we have greedily consumed our Earth, so, ruthless as were are, we should remember to leave untouched its basic function of an invaluable, living larder... Meanwhile, the destruction of forests, particularly the "lungs of our planet", that is the largest forests of the Amazon, Canada or elsewhere, the pollution of water – not only by the growing number of oil slicks, but mainly by the deathly poisons emptied into our rivers – and the exhaustion of the fertility of our soil, are all accelerating the process of self-destruction. That is, if we do not understand soon enough, and I think more and more people are beginning to understand, that just as we are able to inflict blows threatening our very existence, it is also in our power to save it.

I am not going too deeply into matters of industry, industrialization and the other elements of modern civilization, drawing attention to other things, as this is a tale told on our way down the Vistula. And besides, I would not like my readers, particularly those living in highly industrialized countries, to think I am like a certain snobbish actor from one of the Warsaw theatres. This actor pushed his way to the front of the little crowd waiting to greet the famous Laurence Olivier at the airport and when at last he found himself face to face with that great actor, he said loudly in what he thought was an Oxford accent: "Sir Laurence, my wife is English!", at which our guest nodded politely and said: "Oh, so is

jednakże w tych albumach widzę głównie fabryki, standardowe, monotonne bloki pudełkowatych osiedli i inne obiekty tego typu. Kiedy więc takie publikacje wołają głośno cudzoziemcom o tym, że posiadamy rury kominów, klocki zakładów i kilometry instalacji, cudzoziemiec może to skwitować sztywnym ukłonem, słowami „oh, my także" – i przejść do rzeczywiście frapujących go u nas zjawisk. Do rezerwatów wymarłej gdzie indziej przyrody europejskiej, do używanego jeszcze czasem na co dzień ludowego stroju, do wyjątkowego widoku stylowych kapliczek przy wiejskich drogach, do szczególnie pięknych, a odmiennych zabytków, do urzekającego rozmaitością pejzażu, architektury różnych Starych Sączów czy Lanckoron, do ciekawostek obyczaju, a wreszcie i do tych fragmentów majestatycznej Wisły, gdzie trwa niepowtarzalny urok naszej pięknej Królowej.

Warto tu chyba dorzucić informację, że wspaniała uroda swobodnej rzeki ma nie tylko estetyczną wartość. I nie chodzi tylko o to, że samooczyszczenie wód jest wtedy skuteczniejsze, gdy nurt rozlewa się szeroko, jest niezbyt głęboki i nie za szybki, a więc gdy nie uczyniono jeszcze zeń sztywnego koryta z pędzącą (i zionącą skażeniem) mokrą masą. Dla interesujących się innymi pożytkami niesionymi przez łagodny, wolny prąd dodam informację wziętą z prasowej dyskusji. Oto redaktor Józef Kuśmierek, zebrawszy głosy fachowców, opublikował ważne dane, ważne argumenty przeciw czynieniu z rzeki kanału bystrych ścieków przemysłowych. Wiadomo bowiem, że dobra łąka potrafi dostarczyć nawet sto kwintali paszy dla bydła, czego żadne pole zbożowe nie osiągnie, a nic tak, jak rzeka – o czym się przecież wie co najmniej od czasów gospodarki faraonów na Nilu! – nie użyźnia swoimi namułami i wilgocią. „Łąki i pastwiska – rozszerza sprawę Kuśmierek – to nie tylko najwydajniejszy producent najtańszego białka. Łąki i pastwiska mogą być traktowane również jako zbiornik retencyjny. Na obszarze ponad 4 milionów hektarów, jak stwierdza prof. Prończuk, zbiornik ten zatrzymuje dziesięć miliardów sześciennych wody... Ważne jest też, że zbiornik ten n i c n i e k o s z t u j e i n i e w y m a g a o s o b n e j k o n s e r w a c j i. To bardzo ważne, bo

mine". I am often reminded of this anecdote when I look through various albums on Poland, a country with a wealth of beautiful scenery and tourist attractions, and find mainly factories, monotonous standardized blocks of box-like flats and other buildings of this kind. Such publications, extolling the fact that we have chimney stacks, modern factories and kilometres of installations, may evoke among our foreign readers a polite nod and the words: "Oh, so have we", as they turn the pages to find what really interests them in Poland. I mean such things as nature reserves that no longer exist in other parts of Europe, the folk costumes that are still worn in some places as everyday dress, the sight of a wayside shrine in a country lane, the specific, different atmosphere of truly beautiful historic buildings, the enchantment of our varied landscape, the architecture of places like Stary Sącz or Lanckorona, interesting old customs and those parts of the majestic Vistula where the unique charm of our beautiful Queen has remained unspoilt.

It might be of interest to add here that the magnificent beauty of our free-flowing river has advantages other than aesthetic. And it is not only because the self-purification of river water is better when it flows widely, slowly and is not very deep, or in other words when it has not been turned into a fast flowing mass of water (emitting the breath of pollution) between rigidly regulated banks. These other advantages of the lazily flowing river were pointed out in a discussion carried on in the press. Józef Kuśmierek published some significant data based on the opinions of experts, important arguments against making the river a fast flowing canal of industrial sewage. We know that a good meadow can supply as much as a hundred quintals of fodder for cattle, much more than one gets from even the best field of grain, and there is nothing better than a river for raising the fertility of the soil on its banks with alluvial deposits and moisture (a fact known at least since the times when the Pharaohs ruled by the Nile!). Kuśmierek goes on to say: "Meadows and pastures are not only the most prolific producers of the

hektar obsianych pól, zalanych przez powódź – kosztuje. Ach, te mity! (woła Kuśmierek). Każdy publicysta z okazji jakichkolwiek prac związanych z regulacją rzek, a ostatnio z budową tamy w Czorsztynie, bez namysłu dorzuca argument nie do odparcia, że «chroni nas to przed klęską powodzi». Mitem wielce szkodliwym jest traktowanie powodzi jako klęski. Klęską jest brak wody w korycie Wisły, co się zdarza dużo częściej niż jej powodziowy nadmiar. Klęską jest, że ta fala powodziowa pędząc obwałowanym korytem, zawsze na krawędzi przerwania wałów, odprowadza bezużytecznie miliony metrów sześciennych wody. To, co ta fala powodziowa poniosła z sobą i oddała Bałtykowi, jest klęską. W ścinaniu fali powodziowej – stwierdza prof. Prończuk – biorą udział łęgi. Łęgi, to tereny w dolinach rzek, użyźniane przez zalew, świetnie nadające się na wysokowydajne łąki i pastwiska... Jak wobec tego można traktować powódź jako klęskę? Ano można, bo wjechaliśmy w łęgi pługiem, w pogoni za żyzną glebą obsialiśmy je zbożem i w obawie przed katastrofą «powodzi» odgrodziliśmy od koryta rzeki wałem."

cheapest protein. Meadows and pastures can also be treated as a water reservoir. To quote Professor Prończuk, over an area of more than 4 million hectares this kind of reservoir retains ten thousand million cubic metres of water... The important thing is that this kind of reservoir *does not cost anything and does not require conservation.* This is certainly important, for a hectare of fields sown with crops costs us a lot if submerged by flood waters. Away with the old myths! (cries Kuśmierek), When any river regulation work is being done – just recently it was the building of the dam at Czorsztyn – journalists usually put forward an infallible argument that it will protect us against the disaster of floods. It is a very harmful myth that floods are a disaster. What is a real disaster is a shortage of water in the bed of the Vistula, something that happens more often than floods. It is a disaster when flood waters rush through high embankments at the danger level threatening to break through these embankments and bear away millions of cubic metres of water that could be put to better use. It is a disaster when flood waters are borne away to be emptied into the Baltic... Marshy meadows can help to check the wave of flood waters – says Professor Prończuk. These marshy meadows in the river valleys made fertile by alluvial deposits and moisture, are excellent as highly productive fodder-producing meadow or pasture... So how can floods be treated as disasters? But they are, because we have taken our ploughs into these marshy meadows in our search for fertile soil and sown grain there. And now fearing the disaster of a flood we have built high embankments tô keep the river away from the crops."

A więc, jak widać nawet z tego urywka wykładu o pożytkach swobodnej rzeki, mamy jeszcze powody do cieszenia się tymi fragmentami Wisły, gdzie jej wspaniały nurt sunie szeroko, sycąc okolice zarówno malowniczością, jak życiodajnymi sokami. Takie właśnie krajobrazy roztaczają się, gdy minęliśmy Kraków, przed nami.

Minęliśmy Kraków, lecz czy w tak bardzo skrótowej relacji nie umknęło naszej uwadze coś, co na tę uwagę zasługuje specjalnie? Zapewne, o starym grodzie narodzonym w legendarnych epokach można by jeszcze opowiadać szeroko, ale co innego miałem tu na myśli. Oto, porwani atrakcyjnością, jak wiślaną falą, ominęliśmy pewien bliski rzece obszar – w okolicy Krakowa właśnie – który zapisał się w historii szczególnie posępnymi, tragicznymi latami. Najpierw, w okresie zapoczątkowanym przez Kongres Wiedeński, tu właśnie, nad lewym dopływem Wisły, Przemszą, było miejsce, gdzie spotkały się słupy graniczne zaborców, punkt znany jako *Dreikaisereck*, „Zakątek trzech cesarzy", gdzie owe czarne orły spoglądały na siebie z bliska po wymazaniu z mapy Rzeczypospolitej.

As can be seen from this brief excerpt from the professor's arguments about the advantages of a free-flowing river, we have reason to be pleased that there are parts of the Vistula where the waters flow wide, contributing to the picturesqueness of the scenery and giving vital sap to the soil. And this is the kind of scenery we find after we have left Cracow.

Cracow is behind us, but I am still wondering if, in my brief account, something might have escaped my attention, something important? Although there is much more to tell about that old city, born in legendary times, it is not that I was thinking of. Carried away, as by the river current with all its attractions, we passed a certain area by the river near Cracow that played a part in the most tragic, gloomy years of our history. First, in the period that began with the Congress of Vienna, here by a left-bank tributary of the Vistula, the River Przemsza, was the place where the three frontier posts of the partitioning powers met, known as *Dreikaiserecke* (Three Emperors' Corner) where the three black eagles faced each other after the Commonwealth had been erased from the map.

A po drugiej stronie rzeki, w latach ostatniej wojny znalazło się inne, najczarniejsze i najkrwawsze w naszych dziejach miejsce, ogromny obóz zagłady Auschwitz-Birkenau, na terenie Oświęcimia i Brzezinki. To tu właśnie, gdzie ze zbrodniczą precyzją, z przemysłowym planowaniem działań i zysków zgładzono miliony ludzi, których jedyną winą miało być to, że byli według rasistów podludźmi, tu przychodzą dziś i przyjeżdżają z całego świata ci, którym przyświeca hasło „nigdy więcej!". Głowy państw i bezimienni obywatele, mężowie stanu czy młodzież, wyznawcy wszystkich religii i działacze wszelkich orientacji politycznych, bracia i siostry pomordowanych, wreszcie ci, którzy cudem ocaleli z wszelakich obozów koncentracyjnych, wszyscy jednakowo kłonią głowy przed zachowanymi jako tragiczne memento: ścianą śmierci, śladami krematoriów, barakami skazańców, całym dramatycznym pomnikiem ofiar ludobójstwa.

Dziś – po trosze jako symbol życia triumfującego nad śmiercią, jako swoisty znak energii, w pobliskim Oświęcimiu rozbudowują się coraz potężniej ogromne zakłady chemiczne. Nawiązując zaś do tego, o czym była wcześniej mowa, w zakładach tych, jak wieść niesie, osiągane są także sukcesy przy poskramianiu trujących wyziewów i ścieków. One to bowiem przed laty były w Polsce pierwszym sygnałem niszczenia środowiska naturalnego, stamtąd popłynęła fala fenolowej wody, zagrażając – nie przywykłym jeszcze do jadów nowoczesności – mieszkańcom Krakowa. Toteż dobrze, jeśli tu właśnie myśli się częściej i skuteczniej o odsunięciu zagrożenia, a czas pokaże, z jakim skutkiem.

And on the other side of the river, there is a place that in the years of the last war witnessed the darkest, most bloody pages in our history, the Nazi extermination camp of Auschwitz-Birkenau in Oświęcim and Brzezinka. It was here that, with criminal precision, and the deliberate planning of action and gains, millions of people were exterminated, people whose only sin was that, in the eyes of the racial fanatics, they were subhuman. This place is visited every day by people from all over the world, whose watchword is "Never again!". Heads of state and nameless citizens, statesmen and young people, people of all religions, the brothers and sisters of those murdered, and also those who survived all kinds of concentration camps by some miracle. All of them come to bow their heads before the remains of the crematories, the barracks of those doomed to die, the whole of this dramatic monument to the victims of genocide.

Today – as a kind of symbol of life triumphing over death, a specific sign of energy, a large chemical plant is developing near Oświęcim. Here, by the way, we are told that the plant has successes to its credit in the field of extracting poisonous components from fumes and liquid waste. For it was from here, years ago that we had the first alarm signal in Poland of the danger threatening our natural environment, when a stream of phenol-impregnated water flowed towards Cracow, a danger to its inhabitants who had not yet become immune to the poisons of modern civilization. It is a good thing that thought is being given to removing this threat more frequently and more effectively. Time will show the results of these efforts.

Jeśli jednak w naszej wędrówce z biegiem rzeki odpłynęliśmy, niesieni prądem, dalej, tam gdzie wody – jako się rzekło – samoczynnie dzięki swej płytkości i rozlewiskom pozbywają się skaz, jeśli więc jesteśmy teraz poniżej Krakowa, syćmy się przede wszystkim pięknem tutejszego krajobrazu. Bo oto po obu malowniczych, daleko widocznych brzegach rozciągają się – jeszcze nie ujęte w rynnę – zielone połacie z pasącym się tu i ówdzie bydłem, żywo przypominające holenderskie pejzaże. I tak, jak w przypadku Krakowa nie wiemy chwilowo, kto weźmie ostatecznie górę, czy łowcy natychmiastowych, doraźnych korzyści, czy też przewidujący mądrzej, bo dalej, chroniciele narodowych bogactw – to podobnie dzieje się w kwestii regulacji Wisły.

Oto, rozparłszy się szeroko między brzegami, gdzie lewy leży wyżej, a prawy się rozkłada w płaski krajobraz, rzeka osiąga Opatowiec, pod którym z doliny wpływa wartki, burzliwy Dunajec. On to właśnie ma być niebawem ujęty tamą pod Czorsztynem, a przed zaporą powstanie potężne jezioro, które pokryje wodami całe krainy podgórskie, pola i wsie. Ludzi stamtąd już wyewakuowano; stare na przykład Maniowy, niegdyś dobra dziedziczne rodu czeskiego Gerżabków, powstały w murowanej postaci od nowa, na wyższym zboczu Gorców, a stare drewniane chałupy – oraz przy okazji rząd pradawnych spichlerzyków z bali świerkowych – pochłoną fale. Zbyt wielki jednak byłby krzyk,

But as the current of the Vistula has already carried us farther down the river to a place where – as we have already said – the water cleanses itself of poisons because it is shallow with numerous overflow arms, now that we have Cracow well behind us, let us delight our eyes with all the beauties of the scenery here. On both picturesque banks visible from afar we see green meadows – not yet shut in by embankments – with cattle grazing here and there, very much like the landscape of the Netherlands. And, as in Cracow, we do not know yet who will win, those who would grasp immediate but shortlived gains or those who are far-sighted and wise and want to protect our national wealth – for there is similar controversy over the question of regulating the Vistula.

Here, flowing wide between the high left bank and the lower-lying right bank, the river brings us to Opatowiec, near which the swift and turbulent River Dunajec flows from its valley into the Vistula. The Dunajec is to be tamed by the dam near Czorsztyn, and a huge lake will be formed before the dam, under which a large area of the foothills with all its villages and fields will be submerged. The people have already been evacuated. The very old village of Maniowy, once belonging to the Bohemian Geržabek family, has been rebuilt in brick on a higher slope of the Gorce Mts., but the old timber cottages, together with

gdyby tak samo zginął bezcenny zabytek sakralny i folklorystyczny, czyli drewniany piętnastowieczny kościółek w naddunajeckim Dębnie, dzieło nie tylko cieślów doskonałych, ale jeszcze na dodatek o wnętrzu cudownie malowanym w dekoracyjne sceny myśliwskie i religijne. Kościółek ma być otoczony wysokim wałem, i będziemy go mogli oglądać w swoistej misce pośród zalewu. Tak zresztą, jak pobliski zameczek dawnych węgierskich panów we Frydmanie, wiosce odwiecznej, ongiś jakoby obronnej, czego w architekturze „pałacu" widnieją niejakie ślady w postaci wydętych środkiem baszt narożnych. Przynależny zameczkowi kamienny kościół frydmański ma ocaleć także, nie umiem jednak powiedzieć, co będzie z długim szeregiem chałup o rzezanych w drewnie ozdobach u szczytu każdego budynku, co też będzie ze sznurem przysadzistych stodół, chroniących dawniej wioskę czymś na kształt murów obronnych.

a row of granaries built of spruce roundwood, will be submerged. There would have been too many protests if the same fate had been envisaged for the 16th century timber church in Dębno on the Dunajec, an invaluable example of early sacral building and folk art, which is not only famed for its faultless carpentry but also for the fabulous painted interior with its religious and hunting scenes. This little church is to be surrounded by a high embankment and it will be possible to see it, safe on its bowl-shaped island, amid the waters of the lake. Similar measures are to be taken to protect the castle, once belonging to Hungarian lords, in the age-old village of Frydman, once a fortified settlement, traces of which can be seen in the castle's architecture with its bulgy corner towers. The stone church by the Frydman castle is also to be saved, but I do not know what is to become of the long row of cottages, all with ornamentation carved in the gable-beams, or to the line of strongly built barns forming a kind of defence wall which protected the village in olden days.

Sam wspomniany Czorsztyn, czyli ruiny solidnego zamczyska, to już obiekt na wysokiej skale i woda tam nie sięgnie, tak jak wyspą się ostanie – pysznie zachowany i pieczołowicie chroniony – zamek w bliskiej Niedzicy (gdzie, jak głosi uparte podanie, zakopano pod progiem wejścia głównego pęk rzemyków z południowoamerykańskim szyfrem tamtejszych Indian, węzełkami „kipu", mającymi być kluczem do baśniowych skarbów sprzed konkwisty).

Wszystko to wszakże jest daleko od Wisły, za odległą przegrodą przedwojennego zalewu w dolinie pod Rożnowem – tam powstała elektrownia wodna – i rosnącą właśnie czorsztyńską tamą. My zaś od Opatowca, dalej na północny wschód, spływamy brzegiem Niziny Sandomierskiej, jej zachodnią krawędzią.

Czorsztyn itself, the ruins of a large, solidly built castle, stands upon a high rock, so the water will not reach it. Nearby Nidzica will be another island, with its beautifully preserved and carefully protected castle where, as legend has it, a bunch of leather thongs from Latin America known as *quipu*, with the knot cipher of the native Indians, is buried under the threshold of the main entrance. It is said to be the key to a fabulous treasure trove from before the *Conquista.*

But all this is far from the Vistula, beyond the distant barrier of the pre-war artificial lake in the valley near Rożnów – where a power station was built – and the Czorsztyn dam now under construction. We now leave Opatowiec, going down the river to the north-east along the western edge of the Sandomierz Lowland.

Zdarzyło mi się kiedyś przejechać kawałek Wisły pasażerskim stateczkiem dawnej daty, z przepisowymi kołami po obu bokach – bo na śruby tu za płytko, więc zeszłowieczny napęd pasował jak należy. Najbardziej patetyczną rzeczą na tej wycieczkowej jednostce była klapa kryjąca zejście do kabiny marynarskiej (może ich było pięciu, tych matrosów, nie wiem). Oto wymalowano tam ogromne koło ratunkowe, kotwice i coś jeszcze, a środkiem biegł napis nader podniosły: „Bóg z nami i Ojczyzna!"

Okres nawigacji po Wiśle – jak powiadają specjaliści – obejmuje około 260 dni w ciągu

roku, a nadaje się do tego celu tylko odcinek rzeki od Krakowa do Sandomierza i od Warszawy do Gdańska. Różnie zresztą z tym bywa, jako że przesypujące się dnem i coraz gdzie indziej wynikające łachy, a nawet wyspy porastające szybko krzakami wierzbiny, tworzą zmienne konfiguracje, odmieniają też głębokość głównego nurtu – i pamiętam eskapady w miejscach zasadniczo niedostępnych stateczkom tak, że „Bóg i Ojczyzna" mogły w pewnych latach mieć swoich podopiecznych w innych niż zazwyczaj odcinkach rzeki. Pomnę jednak i takie podróże, które kończyły się definitywnie na niespodzianej a upartej mieliźnie i pasażerowie drałowali nieraz pieszo całymi kilometrami, jeśli nie złapali „okazji", czyli furki, auta czy autobusu... Ba, lecz skoro nawet w dolnym biegu Wisły latem wody potrafią opaść do wysokości ledwie 70 cm, cóż mówić o jej górnym biegu?

I once had the opportunity to travel along a bit of the Vistula in a rather ancient passenger paddle-wheel steamer because the water was too shallow for a propeller and this 19th century relic was just the job. The most pathetic thing I saw on this excursion boat was the hatch over the crew's cabin (I think there was a crew of five). On this hatch somebody had painted a large lifebelt, an anchor and something else, and right across the middle ran the very noble inscription: "God and our Country are with us!".

The period when the Vistula is navigable – as the experts tell us – lasts about 260 days in the year and the only navigable parts are from Cracow to Sandomierz and from Warsaw to Gdańsk. Even in these sectors the conditions vary due to the shifting sands of the river bed which form sandbanks in different places, and even little islands, where willows spring up in no time, resulting in constantly changing configurations and also change the depth of the mainstream. I can remember escapades into places that, in principle, were not accessible to the river boats, so that in some years "God and Country" had charge of people in parts of the river not usually ventured into. I remember also some voyages that ended quite definitely on an unexpected sandbank, when the boat stuck fast and the passengers had to trudge miles and miles unless they were lucky enough to cadge a lift in a cart or car or find a bus... Well, if I tell you that sometimes in the summer the water level of the lower Vistula can drop to only 70 cm., what is one to expect of its upper reaches?

Toteż najlepiej zawsze spławiało się po tej wodzie wszystko, co spławiać należało – jednostkami o minimalnym zanurzeniu, a więc głównie najtypowszym przyrządem nawigacyjnym, czyli t r a t w ą. Płaskie te konstrukcje ze zbitych ze sobą bali drzewnych, na których stawiano prowizoryczne budki dla załogi i uchwyty do drągów, pełniących zarazem rolę wioseł i sterów, tratwy płynęły z lesistych dziedzin południowych aż na samą północ kraju, do Gdańska, wioząc same siebie, czyli drewno na budowle i maszty (do dziś starzy drwale określają niektóre gonne, smukłe sosny jako „masztowe"), ale i sporo towarów rozmaitych. Głównie jednak towary te, czyli płody rolne ze zbożem na czele, klepkę dębową, smołę i jej pochodne (w głębokich lasach wyprażane przez

czarnych od dymu, półdzikich smolarzy), owoce, miód, skóry, wiklinę, mięsiwo wędzone z suszonym, sery co trwalsze, a także spore partie soli, słowem całe bogactwo polskich ziem, wszystko to płynęło wodą głównej naszej rzeki przeróżnymi typami łodzi, barek, płytkich stateczków, berlinek, komięg i jak tam jeszcze zwała się olbrzymia wiślana flotylla. Na krótszych odcinkach przeprawiano, już to w poprzek, już to wzdłuż nurtu, podręczne, przydomowe niejako „masy towarowe", więc siano zebrane z łęgów przybrzeżnych, małe stada owiec czy krów, konie, a przede wszystkim ludzi, gdy mostów było niewiele, a interesów, jak zwykle, sporo.

Szesnastowieczny poeta Sebastian Klonowic napisał obok wielu innych poematów utwór *Flis* właśnie o ludziach płynących tratwami, a flisami vel flisakami zwanych. Z przyczyn,

So the best way of getting about on the Vistula, the way used by those in the know, was always with floats of minimum draught, that is, in most cases, the most typical instrument of navigation – the raft. These flat constructions of roundwood screwed together, on which temporary huts were built for the crew and rowlocks fixed for the poles that served both as oars and rudder, floated down the river from the forest region of the south to Gdańsk in the north, transporting themselves, that is, timber for building and for masts (to this day the oldest woodcutters call some slender pines "mast wood") and also quite a lot of varied cargo. But mostly these goods, agricultural produce, grain above all, oak parquet flooring, tar and its derivatives (produced in the forests by sooty half-wild pitch distillers), fruit, honey, leather, osier, dried smoked meat, less perishable cheeses, large quantities of salt, in other words all the riches of Poland, were transported along our chief river by all kinds of boats, barges, flat-bottomed vessels going to make up the large Vistula fleet. Shorter distances were covered by boats taking smaller "general cargo" across the river or along it, such as hay harvested from the riverside meadows, small flocks of sheep, cows and horses, and above all, ferrying people across the water, as there were not many bridges and as always, plenty of business to be done.

Among the many works of the 16th century poet Sebastian Klonowic, there was one called *Flis* (The Raftsman) about the men who plied the rafts on the Vistula and were called *flis* or *flisak*. For the reasons I have already men-

o których wspomniałem, a więc z braku możliwości, by oddać tłomaczeniem na obcy język cały wdzięk (zwłaszcza dawnej) mowy polskiej muszę rezygnować z cytatów, zostawiając ledwie jeden, najtypowszy: „Tylko od śmierci na trzy palce bywa, kto w łodzi pływa". W łodzi, albowiem przywódca flotylli rzecznej, swoisty oficer eskadry, zwany retmanem płynął przodem małą łódką, „retmanką", i znajdował właściwą dla swojej wodnej karawany trasę pośród zmiennych układów rzecznego piasku, kapryśnego nurtu i nagłych (jak np. zwalone ostatnią burzą pnie) przeszkód. Przebadaną, a niejednokrotnie oznaczoną sygnalizacyjnymi żerdziami – z wiechciem, lub bez wiechcia na czubku – linią sunęły tratwy, a na nich flisacy i oryle. Oryl (czy horyl), to niby podoficer, czy raczej czeladnik tego rzecznego cechu, tym górujący nad zwykłym flisakiem, że zaprawiony do roboty ciesielskiej i potrafiący, oprócz nawigowania, przysposobić bale, tramy i pnie spławianych drzew do potrzeb (zwłaszcza zagranicznego, jak choćby holenderscy czy hanzeatyccy budowniczowie statków morskich) klienta. Wspomniany na wstępie tych gawęd encyklopedysta Orgelbrand powiada o orylach: „mają swój wyłączny język wraz z flisakami, którego się gorliwie uczą, bo za niewiadomość wyrazów technicznych bywają od towarzyszów karani; mają także swoje prawo, to jest ustawę, a trzech gospodarzy składa sąd, który podług przyjętych zasad wymierza karę na przestępcę".

Skąd taka srogość, czemu tak ostro? Otóż samo życie nakazywało, by we flisaczym, orylim światku panowały surowe, ściśle przestrzegane obyczaje; inaczej wielkie gromady młodych, silnych mężczyzn, którzy otrzymywali sowitą nieraz zapłatę w dalekim od domostw porcie, a potem musieli piechotą wracać setki kilometrów wzdłuż rzeki, by zarobki zanieść do rodzin, grupy te bez żelaznej dyscypliny łatwo ulegałyby rozprzężeniu. Wyobraźmy to sobie: piesza podróż w gronie kompanów, ze świadomością pełnej kabzy, z dala od kontrolujących spojrzeń własnych sąsiadów i familii, jakaż to kusząca okazja dla krzepkich, pełnych życia chłopaków! Cóżby donieśli czekającym u podnóża gór, na chudych poletkach i jałowych zagonach

tioned, namely the difficulties of conveying the charm of poems about the Vistula in a translation, especially those written in old Polish, I have to give up the idea of including quotations, except for one, which is very typical: "Hard at death's door is the boatman as he plies the oar". For the pilot of the river fleet, a sort of squadron leader, called, a *retman*, went ahead in a small boat known as *retmanka* and found the right course for his caravan of rafts amid the changing sandbanks, dangerous currents and unexpected obstacles, such as tree trunks struck down in a recent storm. And along this tested course, often marked by poles, either with or without a bunch of straw on the top, went the rafts and on them the *flisaks* and *oryls*. An *oryl* or *horyl* was a sort of NCO or rather journeyman of that river guild, being superior to the ordinary *flisak* in that he was a qualified carpenter and, apart from navigation, also knew how to prepare logs, beams and roundwood from the transported timber to meet the needs of the customer, particularly foreign customers like the Dutch and Hanseatic shipbuilders. Orgelbrand's *Encyclopaedia,* mentioned earlier, has this to say about the *oryl*: "Together with the *flisaks,* they have their own language, which they take care to learn, for if they lack knowledge of technical terms they can be punished by their comrades; they also have their own laws by which three of the crew form a court which passes judgement on the offender according to accepted principles."

Why such strict discipline? Life itself dictated that among the *flisaks* and *oryls* there had to be severe, strictly observed rules; otherwise, the large number of strong young men, who often received rich payment in ports far from their homes and later had to walk hundreds of kilometres back to their homes to take their earnings back to their families, without iron discipline could easily give way to temptation on their way. Just imagine these men walking home with their comrades, knowing that their purses were full and far away from the controlling eyes of their families

rodzinom, gdyby nie kodeks moralny, trzymający w ryzach całą tę flisaczą społeczność.

W prześlicznej opowieści o wycieczce do Krakowa (rok 1826) pisała dla młodzieży literatka i dziennikarka – rzekłbym nawet reportażystka ówczesna! – pani Klementyna z Tańskich Hoffmanowa, następujące zdania:

„Słońce już zachodziło, gdyśmy z Drzewicy wyjechali, a okropne piaski nie dozwalały pośpiechu. [...] Ale jednostajność drogi przerwało nam miłe zejście się z flisami wracającymi z wyprawy. Lubię niezmiernie tych rzecznych żeglarzy naszych, są oni może zarówno z morskimi odważni, rozgarnieni, wytrzymali; ich powołanie, niebezpieczeństwo, przygody, trudy na jakie naraża, lekkość ubioru, zwinność konieczna, dają im pewien krój romantyczny – i nasi polscy Walter-Scottowie nie powinniby ich zapominać w swoich balladach i powieś-

and neighbours. What tempting opportunities strong men so full of vitality must have met on their way?! What would they have brought back to their families waiting in the foothills on their poor farms if it were not for the moral code that kept order in the community of *flisaks*?

In a delightful story for teenagers about an excursion to Cracow (in 1826) by Klementyna Hoffman née Tańska, writer and journalist – I would even say using today's term: reportage writer – we find the following description:

"The sun was setting when we left Drzewica, and we made slow progress because of the wretched sandbanks... But the monotony of the journey was relieved when we met some *flisaks* returning from one of their voyages. I have a great liking for these riverboatmen of ours, who are just as brave, quick-

ciach. Zdaje mi się, że przy dokładnem poznaniu ich obyczajów, flis mógłby znaczną grać rolę w narodowym romansie. Jakkolwiek bądź, rada byłam temu spotkaniu. Jużeśmy cały ich tabor w Nowem Mieście widzieli, bo tam znaczną ilość soli dostawiwszy, szczęśliwie wracali do domów. Jużeśmy kilku zdybali w drodze, ale tu pięciu z nich przyłączyło się do nas, a jeden zaczął rozmawiać. Chociaż jeszcze młody [sama Klementynka miała wtedy 29 lat – S.K.], szedł zawsze najpierwszy; żywe oko czarne, włos ciemny i gęsty, dorodna i śmiała postawa, ubiór porządny, przypomniały mi ów obraz flisa w Klonowiczu:

W szerokiej krajce, pięknej, przetobiałej,
z nowym przysiekiem, w magierce** zuchwałej,*
czupryna k' rzeczy, biała szarawara;
Kto idzie? wara!

Nie zdziwiłam się więc bynajmniej, kiedy w ciągu rozmowy odkrył nam, że jest rotmanem, czyli dowódcą tych wszystkich flisów, że miał ich dziewięćdziesięciu z sobą, a miewa czasem i więcej, i że go, Kazimierza Gędziora jak zły szeląg tak cesarscy i krolewscy znają [to znaczy spod obu zaborów: austriackiego i rosyjskiego – S.K.]. Opowiadał to wszystko z godnością, ale bez dumy; i tak szedł boso, buty i tłomoczek niosąc na kiju na plecach, jak i jego podwładni. Zapytany skąd jest, czy z tamtej strony Wisły, z Galicji? Nie – odpowiedział nam – jam z wolnej ziemi krakowskiej, królowi polskiemu służę! [Istniało wtedy czasowo tzw. Wolne Miasto Kraków, twór geopolityczny o cechach pozornej autonomii pośród zagarniętych przez obcych ziem polskich – S.K.] – Musicie być bardzo bogaci? – powiedział mu nasz woźnica. – Bogatym jest, bom zdrów z łaski Pana Boga! – wyrzekł natychmiast. – A nie przykrzy się wam to flisowskie rzemiosło? – spytałam się. – Gdzie tam! – zawołał – Jest-ci wprawdzie mitręgi dosyć, człowiek nie dośpi, nie doje, często się w wodzie kieby ryba

* Przysiek, typowa dla oryli i flisaków wąska siekierka na długim trzonku, mogąca, niby góralska ciupaga, służyć także za laskę.

** Magierka, węgierka, rodzaj zawadiackiej czapki z klapami po bokach.

witted and undaunted as seamen; their calling, the dangers, the adventures and toil it involves, their nimble movements, their light clothes, make them romantic characters – and our Polish Walter Scotts should not overlook them in their ballads and novels. It seems to me that, with a good knowledge of their customs, the *flisaks* could be given an important role in national romance. I was indeed pleased to have met them. We saw a large number of them in Nowe Miasto, where, having unloaded a large cargo of salt, they were happily setting off for home. We had hailed several of them on the way, but here five of them joined us and one of them started talking to us. Although he was still young [Klementyna was then 29 herself, S.K.] he was always in the lead, with his flashing black eyes, thick dark hair, fine figure and bold ways, his well cared for clothes, he reminded me of Klonowic's image of the flisak:

With a wide woven belt, so fine, so white
new axe-edged staff and jaunty magyar cap,*
That luxuriant forelock, white galligaskins,
Who comes?Make way!

"I was not at all surprised when, during our conversation, he told us he was the *retman*, that is, the man in charge of all these *flisaks*, and that he had ninety of them with him, and sometimes had more. He said that he, Kazimierz Gędziora, was always turning up like a bad penny and was well known in both the Austrian and Russian ruled parts of Poland. He told us all this with dignity but without pride; he walked barefoot, carrying his boots and bundle on his back like the *flisaks* he was in charge of. When asked where he was from, whether he was from Galicia on the other side of the river, he said: 'No, I'm from the free region of Cracow, in the service of the Polish king!' [For a time there existed what was known as the Free City of Cracow, an allegedly autonomous geopolitical creation in the midst of the partitioned Polish lands, S.K.]. 'You must be very rich,' said our coach-

* Typical narrow axe on long handle used by *flisaks* that – like the alpenstock – also served as a staff.

pluskać musi, ale za to jak doprowadzi szczęśliwie ową sól do mety, rad temu i wesół, kieby go kto na sto koni wsadził! – A w domu długo odpoczywacie? – Jak najkrócej, wielmożna, człek stawi się przed starszyzną, kobiecie i dziatkom gościniec odda, rozpowie kumom w karczmie flisowskie dzieje i dalej rusza, gdy jeno może. A kto by się tam za piecem na sucho osiedział, kto raz wody i wędrówki skosztuje?

Gdyśmy tak i podobnie z Kazimierzem Gędziorem rozmawiali, towarzysze jego czyli podwładni, sporszym idąc po piasku od koni krokiem, wyprzedzili nas z wielkim wstydem woźnicy. Nie było ich widać, bo już ciemności zapadły, ale rozlegał się po wieczornej rosie odgłos wesołych ich pieśni."

Toteż, jak wieść niesie, wędrujące ku południowi wzdłuż rzeki dobrze zorganizowane, zdyscyplinowane grupy flisów – zbrojnych w swoje przysieki – stanowiły po trosze coś na kształt ekip porządkowych, postrach dla awanturników, pomoc zagrożonym. Biało odziane, energiczne postaci mogły istotnie budzić respekt pośród ówczesnej chuliganerii...

Była tu mowa o soli jako towarze eksportowanym z krakowskiego. Ba! Nic dziwnego, toż podkrakowska Bochnia, a zwłaszcza przesławna Wieliczka, są od wieków miejscami wydobycia tej nieodzownej przyprawy, a zarazem źródłem bogactwa i poważania wśród ludzi. Wedle legendy sól ta zjawiła się wraz z bł. Kingą, małżonką księcia Bolesława Wstydliwego, która to królewna węgierska, mając jechać na północ do narzeczonego, wrzuciła w głąb kopalni soli na Węgrzech swój pierścień. I oto stał się cud widomy, bo gdy przybyła pod Kraków, kazała Kinga kopać we wskazanym przez nią – w Wieliczce właśnie – miejscu; wnet natrafiono tam na pokład wspaniałej, jak kryształ czystej soli, a w przejrzystej bryłce tejże, dobytej spod ziemi tkwił... ów pierścień, za górami, za lasami do sztolni wrzucony!

Dziś kopalnia wielicka, nadal w głębszych warstwach służąca jako źródło najczystszej soli, stanowi jeden z najważniejszych obiektów turystycznych oraz, o dziwo, szpitalnych. Turyści mają tu mnóstwo do zwiedzania, bo i olbrzymie, górą w mroku utopione, wysokie sa-

man. 'I'm rich, because I'm healthy by the grace of God!' he replied at once. 'Aren't you tired of the *flisak's* life?' I asked. 'Not likely,' he exclaimed. 'It's true, there's enough lagging about, a man doesn't get enough sleep, or eat enough, often has to splash about in the water like a fish, but when he's brought the salt safely into port, he's content and happy as a king!' 'Do you stay home long resting?' I asked. 'Only as long as I must, ma'am, to report to the elders, give the wife and kids presents, tell my friends *flisak's* stories at the inn, then I'm off again, where I'm needed. How can a man who's tasted life on the water sit dry and warm at home by the stove?'

"While we were chatting like this with Kazimierz Gędziora, his comrades, that is, the men he was in charge of, with more lively step than the horse overtook us to the shame of the coachman. We could no longer see them as it was already dark, but the echo of their merry songs was wafted to us over the evening dew."

And, as we are told, the well organized disciplined groups of *flisaks* making their way south along the river – armed with their axe-edged staffs – were a clan to be feared by ruffians, keeping order and protecting those in danger. These white-clad, energetic men most certainly commanded the respect of the hooligans of those days...

There has been mention of salt as cargo exported from the Cracow region. Yes indeed! This is not surprising since Bochnia, and in particular the famous Wieliczka salt mine near Cracow, have for centuries been the source of abundant supplies of this essential condiment, bringing the people of the region riches and esteem. Legend has it that salt appeared here with the coming of the Blessed Kinga, a Hungarian princess, wife of Duke Boleslaus the Chaste, who, on going north to become his bride, threw her ring down the shaft of a Hungarian salt mine. When approaching Cracow, she stopped and gave orders to dig in a certain place – it was Wieliczka – and a miracle was witnessed there. The diggers came upon rich deposits of magnificent salt, pure as crystal,

le i niesamowite wnętrza, jak np. ogromną kaplicę bł. Kingi, gdzie i reliefy na ścianach, posągi, posadzka, filary, wszystko jest wyrzezane w solnej skale (a działaniem wilgoci przez setki lat zeszlifowane w obłe kształty), i jeziora podwodne... Przewodnik opowiada, jak tu kiedyś zginęło kilku żołnierzy niemieckich, bo się wioząca ich łódka wywróciła, przykrywając paru pasażerów niby kopułą, oni zaś nie byli w stanie dać nurka, aby wypłynąć z pułapki, bowiem solanka nie pozwala na zanurzenie – i tak marnie zginąć przyszło.

Napomknąłem także o medycznej stronie kopalni wielickiej. Tak, jej podziemne, odcięte od zewnętrznego świata głębokością pomieszczenia stanowią idealne wręcz komory odpoczynku dla astmatyków. Tu, pod ziemią, wśród słonych ścian nie istnieje większość substancji wywołujących uczulenia, jakże często niemożliwe do odszyfrowania. Toteż pacjentom, kładzionym w głębi salin na łóżkach, bytność w kopalni przynosi ulgę, znika duszność astmatyczna, organizm ma szanse wypoczynku, może z czasem wręcz powrotu do zdrowia.

and in one of the transparent lumps of salt dug out of the earth was... Kinga's ring, the one she had thrown into the salt mine beyond the hills and far away!

Today the Wieliczka mine, where the purest salt is still being mined from the deeper layers, is one of the great tourist attractions of the region and also – strange as it may seem – serves as a hospital. The tourists have plenty to see there, enormous chambers so high that the upper part is enveloped in darkness, fantastic interiors like the huge chapel of the Blessed Kinga, where everything, the reliefs on the walls, statues, the floor and pillars are all carved in rock salt (rounded off by the action of moisture over the years) and underground lakes... Our guide tells us how some German soldiers once perished there when the boat taking them round overturned and covered several passengers like a dome and they were unable to escape because the thick concentration of salt in the water made it impossible to dive and get out of the trap – and so they came to a bad end.

I also referred to the use of the Wieliczka mine for medicinal purposes. Yes, its underground chambers, deep down and cut off from the outside world, are ideal for bringing relief to asthma patients. In these chambers with their walls of salt, most of the substances causing allergy, often almost impossible to determine, are absent. The patients are kept in bed in these deep salt chambers, where it is easier for them to breathe giving their organisms a chance to recuperate and in some cases this treatment even effects cures.

Zbyt jednak daleko odbiegliśmy tym tematem od Wisły, wracajmy zatem i – dotarłszy do ujścia lewobrzeżnego dopływu, Nidy – wspomnijmy przy okazji tutejsze walki sprzed kilkudziesięciu lat. Tu w okopach pierwszej wojny światowej wykrwawiali się ci Polacy, którzy wykorzystali swoisty liberalizm władz austro-węgierskich, założyli pod przywództwem Józefa Piłsudskiego (późniejszego marszałka Polski niepodległej) militarne ugrupowania. A potem, z tradycyjnymi, acz demokratycznie pozbawionymi koron orzełkami na czapkach, rosnąc w formacje zwane Legionami, walczyli z carskim zaborcą – od Krakowa przez pola nad Nidą w coraz dalszych rejonach kraju.

Następny zaś dopływ Wisły, rzeka Czarna, chlubi się innym, znaczącym wielce w naszej historii miasteczkiem, Połańcem.

Było to z końcem XVIII stulecia, gdy w Polsce rozkwitły wspaniale nauka i sztuka pod opieką króla-mecenasa Stanisława Augusta Poniatowskiego, lecz zarazem osłabła Polski siła militarna i polityczna tak dalece, że trzy ościenne mocarstwa, a więc Prusy, Rosja i Austria – z haniebną niestety pomocą grupy wielmożów polskich – dopuściły się dwukrotnego podziału naszego kraju między sobą. Naród wszakże dokonał wtedy zrywu wojennego, zrywu tym cenniejszego, że naczelnik insurekcji (inaczej: powstania), Tadeusz Kościuszko – już wsławio-

But again we have digressed too far from the subject of the Vistula and, having in the meantime reached the place where the left-bank tributary Nida flows into it, let us say a few words about the battles fought here many years ago in the First World War, about the heavy toll of blood paid by the Poles who took advantage of the specific liberalism of the Austro-Hungarian authorities and formed military groups under the command of Józef Piłsudski (later marshal of independent Poland). With the traditional eagle badge, democratically devoid of the crown, on their caps these groups grew into the formations known as the Legions and fought against Tsarist Russia – advancing from Cracow, fighting battles on the River Nida and then moving on to other regions of the country.

On the next tributary of the Vistula, the River Czarna, there is a small town, Połaniec, which has gone down in our history as the place where Kościuszko read the Manifesto of Połaniec concerning the peasants.

It was at the end of the 18th century, when learning and art were developing magnificently in Poland under the patronage of King Stanislaus Augustus Poniatowski, but also a time when Poland's military and political power was declining, and to such an extent that the three neighbouring states, Prussia, Russia and Austria – unfortunately with the ignoble aid of Polish magnates – took advantage of this to carry out two successive partitions of our country among themselves. The nation then rose in an armed insurrection, all the more valuable because its leader, Tadeusz Kościuszko (who had already won fame beyond the ocean for his military feats in the American War of Independence under the command of Washington, and had been known in Poland for his bravery in the battles against the invaders in 1792) succeeded in recruiting the peasant masses to his ranks. It should be remembered that these peasants, socially the lowest class of the nation, were subject to compulsory serfdom and were almost the "private property" of the landed gentry, the only free and governing class in Poland. They answered Kościuszko's call to arms wearing homespun

ny za oceanem czynami wojskowymi w wojnie o wolność Stanów Zjednoczonych pod wodzą Washingtona, oraz walecznością w walkach przeciw najeźdźcom w Polsce roku 1792 – potrafił wciągnąć do szeregów siły chłopskie. Pamiętać zaś trzeba, że włościaństwo, najniższa społecznie klasa narodu, podlegało przymusowej pańszczyźnie, było niemal własnością prywatną szlachty, jedynej wolnej i rządzącej warstwy socjalnej Polski. Teraz zaś, w sukmanach zamiast mundurów, ruszyli na wezwanie Kościuszki z – symbolicznymi od tamtego czasu – kosami, osadzonymi na sztorc, pod własnym sztandarem z napisem „Żywią i bronią"! Owszem – uchwalono w 1791 roku, w pamiętnym dniu 3 maja, nową i nowatorską Konstytucję o rewelacyjnych – i rewolucyjnych – akcentach społecznych, nie weszła ona jednak w życie wobec kolejnego rozbioru Polski. Teraz zatem, w 1794 roku, rozpoczęta solenną przysięgą Kościuszki na krakowskim Rynku, zacząć się miała era spełnienia demokratycznych zamiarów, w ogniu powstania. Odniesiono też z początkiem walk wspaniałe zwycięstwo pod Racławicami opodal Krakowa, gdzie Kościuszko rozbił potężne siły carskie (dowodzone przez generała Tormasowa), i – gdzie szczególnym męstwem

coats instead of uniforms and carrying scythes fixed like bayonets (which from that time on became symbolical) and bearing their own standard with the words *Żywią i bronią*! (They feed and defend!). True, the new and innovatory Constitution adopted on the memorable 3 May 1791 introduced many revelatory – and revolutionary – social accents, but it had not come into force in view of the successive partition of Poland. The year 1794, which began with Kościuszko's solemn oath in the Cracow Market Place, was to initiate an era of the fulfilment of these democratic intentions in the fire of insurrection. At the beginning a great victory was won at Racławice, near Cracow, where Kościuszko routed the powerful tsarist army, commanded by General Tormasov, and where the peasants with their scythes distinguished themselves by great bravery. The most famous of them, Bartosz, known as Głowacki, made a daring attack on a battery of enemy guns, extinguishing the flame a gunner was just putting to the fuse with his cap and charging into the enemy ranks slashing right and left with his scythe with devastating results. That was 4 April. Soon after, on 7 May in the above mentioned

odznaczyli się chłopscy kosynierzy, a wśród nich najsławniejszy Bartosz zwany Głowackim, który w brawurowym ataku na baterie nieprzyjacielskie czapką zagasił przykładany do działa przez kanoniera płomień i wdarł się w obce szeregi, szerząc swoją kosą straszliwe spustoszenie. Było to 4 kwietnia, a już wkrótce, bo 7 maja we wspomnianym Połańcu naczelnik Tadeusz Kościuszko (odziawszy się na znak uznania dla waleczności chłopów w ich białą, obszywaną taśmami sukmanę) odczytał uroczyście akt, zwany odtąd Uniwersałem Połanieckim. Znosił on oficjalnie poddaństwo osobiste i wydatnie ograniczał prace pańszczyźniane włościan na rzecz szlachty, był więc wyjątkowo radykalnym posunięciem, tym dobitniejszym, iż ogłoszonym w asyście zbrojnych sił ludowych, teraz już nazwanych urzędowo Batalionem Kosynierów Krakowskich.

Niestety, walki Kościuszki trwały tylko do października, gdyż (nadal w pobliżu Wisły) pod Maciejowicami, w starciu z rosyjskim generałem Fersenem, skutkiem opóźnienia odsieczy polskiego generała Ponińskiego, który nie zdążył na pole walki we właściwym momencie, nastąpiła klęska Kościuszki, ciężkie zranienie Naczelnika i pojmanie go do niewoli. Przypisywano wtedy – i weszło to niestety do tradycji narodowej – Kościuszce wypowiedzenie tragicznych słów „Finis Poloniae!" – „Koniec Polski!", których w istocie nie wygłosił. Wzięły się one jednak z faktu rychłego trzeciego i definitywnego rozbioru kraju, a być może także z późniejszych słów samego Naczelnika, kiedy ten rozmawiał z carem Pawłem I w petersburskim więzieniu, gdy władca Wszechrosji zjawił się, aby łaskawie uwolnić więźnia i spytać, dokąd się teraz uda: – "Już w tym kraju, w którym wziąłem życie – odpowiedział Kościuszko – n i e z n a j d u j ę o j c z y z n y, ale w tym, gdzie me życie położę, a tym jest Ameryka. Za jednej i drugiej Ojczyzny swobody niosłem na ofiarę życie; widok przynajmniej szczęśliwości Ojczyzny drugiej pocieszać mnie będzie w mym żalu". Istotnie, Kościuszko już nigdy nie wrócił do kraju za życia, a zmarł w Solurze w Szwajcarii, roku 1817, jako człek 71-letni. Jego postać stanowiła i stanowi do dziś najpowszechniejszy – aż po kiczowate gipsowe figurynki sprzedawane nieustannie na

little town of Połaniec, Commander-in-Chief Tadeusz Kościuszko – dressed in a white peasant's homespun coat as a token of recognition for their bravery – ceremoniously read the act known thereafter as the Połaniec Manifesto. It officially abolished personal serfdom and considerably limited the peasants' villein service to the landed gentry and was thus an extremely radical move, all the more so as it was proclaimed in the presence of the armed peasant forces, that had already been given the official name of the Battalion of Cracow Scythebearers.

Unfortunately Kościuszko's insurrection was only to last till October, when (still near the Vistula) at Maciejowice, in a battle with the Russian General Fersen, Kościuszko suffered a defeat due to the delayed relief forces of the Polish General Poniński, that arrived too late. Kościuszko was seriously wounded and taken prisoner. It was said that Kościuszko then uttered the tragic words "Finis Poloniae!" – "It's the end of Poland!" – and this has unfortunately been traditionally accepted as true, whereas in fact Kościuszko did not say this. The acceptance of this story can be attributed to the fact that the third and final partition of Poland took place shortly afterwards, and perhaps also to the later words spoken by Kościuszko in a conversation with Tsar Paul I in the St. Petersburg prison, where the ruler of all Russia came graciously to free the prisoner and ask where he intended to go: "In the country that gave me life," answered Kościuszko, "I can no longer find my mother country, but in the one where I shall lay down my life, that is, America. I was ready to give my life for the freedom of my first and second mother countries; the sight of the good fortune of the second will at least be a comfort to me in my sorrow." And indeed, Kościuszko never came back to Poland again in his lifetime. He died in Switzerland (Solothurn) in 1817 at the age of 71. He was and still is the most generally venerated symbol of the struggle for freedom – to such an extent that trashy plaster figurines of Kościuszko are continuously sold at fairs. His name has been immortalized in our national anthem and one of the later uprisings brought the song:

wszystkich pchlich targach – symbol walk wolnościowych, trwa w tekście hymnu narodowego, a jedno z późniejszych powstań stworzyło pieśń *Patrz Kościuszko na nas z nieba, jak w krwi wrogów będziem brodzić*... Dziś szczątki wodza spoczywają obok królów polskich i największych postaci naszej historii w grobach wawelskich, lud usypał mu własnymi rękami wysoki Kopiec Kościuszki pod Krakowem, a urna z sercem Naczelnika znajdzie niebawem miejsce w odbudowanym ze składek Polaków całego świata Zamku Królewskim w Warszawie nad Wisłą.

Zaszliśmy tedy w patetyczne, wzniosłe regiony naszych dziejów, choć rozdział ten zacząłem od – dosłownie – przyziemnych rozważań rolniczych o znaczeniu (nie docenianych) nadrzecznych łęgów, pastwisk i łąk. Jednakże i w historii Kościuszki widoczny motyw chłopski nawiązuje do tego samego, szczególnie w Polsce i dla Polski istotnego tematu: płodów ziemi. Na kosynierskim sztandarze pierwszym słowem było „żywią'' i żywienie to nadal stanowi walny element krajowej gospodarki, także tej, która się wiąże z Wisłą. Od stuleci płynęły tą rzeką, jak wspominałem, rozliczne jednostki, transportujące tak dla północnych połaci kraju, jak na eksport, zboże, owoce i inne produkty rolne.

Teraz, minąwszy położony na prawym brzegu Wisły Baranów Sandomierski z olśniewającym szesnastowiecznym skarbem architektury manieryzmu – zamkiem, nad którym ma pieczę jeden ze współczesnych „magnatów" dzisiejszej Polski, kombinat siarczany w Tarnobrzegu – teraz rozpoczynamy przegląd starodawnych nadrzecznych spichlerzy. Stanowiły one coś w rodzaju niegdysiejszych silosów, magazynów i suszarni, skąd podpływające szeregami barki rzeczne pobierały ładunek ziarna, by ciągnąć z nim dalej ku północy. Do spichrzów zaś zwożono zboże z okolic „silosu'', a więc – jak w tym wypadku – z Kotliny Sandomierskiej po prawej stronie Wisły, czy z Wyżyny Kielecko-Sandomierskiej po lewej.

Pierwszym większym ośrodkiem magazynowo-handlowym na trasie był gród sławny i silny, Sandomierz, któremu krótki z konieczności, ale osobny rozdział się należy.

Look down, Kościuszko, from heaven above, and see us bathed in our enemy's blood... Today the mortal remains of the great commander rest in a tomb on Wawel Hill beside the Polish kings and the greatest men in our history; the people raised the Kościuszko Mound to his memory with their own hands just outside Cracow and the urn with his heart is shortly to be placed in the Royal Castle in Warsaw, overlooking the Vistula, which has been rebuilt thanks to the donations of Poles from all parts of the world.

We have come to the sad, lofty regions of our history, though I began this chapter with – literally – earthy reflections on the agricultural importance (underestimated) of riverside meadows and pastures. Nevertheless, in the story of Kościuszko, too, the evident peasant motif is part of the same subject so essential in Poland and for Poland, namely the products of the earth. The standard of the Scythebearers carried the words "they feed" and food production is still an important element of Poland's economy, including that associated with the Vistula. For centuries a large fleet of vessels has transported grain, fruit and other agricultural products down the river to the northern parts of the country and for export.

Now, having passed Baranów Sandomierski on the right bank, with its magnificent 16th century castle, a treasure of the Mannerist style in architecture, today in the care of the "magnates'' of today's Poland, the Sulphur Plant at Tarnobrzeg, we can now give our attention to the old granaries along the river which were once a sort of counterpart of today's silos, warehouses and grain drying plants, and from which the river barges used to take their cargo of grain and carry it northwards. The old granaries used to store the grain brought in from the surrounding areas, from the Sandomierz Basin on the right bank and the Kielce-Sandomierz Upland on the left bank of the river.

The first important storage and trading centre along our route, Sandomierz, once a well-known and thriving town, deserves a separate chapter, though of necessity a short one.

Rozdział 4

MIGAWKA Z SANDOMIERZA

„Otóż jestem w Sandomierzu. Miasteczko położone jest – jak San Giminiano – na wysokiej górze. Tę ma nad włoskim miastem przewagę, że u stóp jego płynie majestatyczna i wspaniała Wisła. Jeszcze wiele innych przewag potrafiłbym wyliczyć, a przede wszystkim świeżą i nietkniętą niczym zieloność, powab olbrzymich łąk między miastem a rzeką". Tak pisał w 1936 roku jeden z zasłużeńszych naszych współczesnych literatów, poetów i dramaturgów oraz prozaików za jednym zamachem, Jarosław Iwaszkiewicz, po którego teksty sięga-

Chapter 4

A FEW SNAPSHOTS OF SANDOMIERZ

"Here I am in Sandomierz. The town is situated – like San Gimignano – on a high hill. This town has the advantage over the Italian town in that the majestic, wonderful Vistula flows at its foot. There are many more advantages I could mention, above all the fresh and untouched greenery, the allure of the vast meadows between the town and the river." These words were written in 1936 by the distinguished writer, poet and playwright, Jarosław Iwaszkiewicz, whose writings are often and readily quoted. I would add here, that today

my skwapliwie i często. Tu dodam, że dziś, niestety, te powabne łąki stały się rozlewiskiem ścieków miejskich tak niebotycznie smrodliwych, że nawet w szczelnie zamkniętym aucie człekowi włosy dęba stają. Mówmy jednak o ładniejszych sprawach, cytujmy dalej: „Sandomierz ze swej wysokiej góry nad rzeką patrzy na południe i od strony Wisły wznosi się sylwetą przepiękną, prostą i wyraźną. Jest tu katedra i domek gotycki wystawiony przez jednego z najpierwszych pisarzy polskich, jest ratusz z lekką ceglaną attyką, radującą oczy swoją prostą koronką, jest grupa kościołów o barokowych fasadach i dachach lekkich, pełnych nadwiślańskiego wdzięku".

Ów domek gotycki wystawił Jan Długosz, przez pisarza pisarzem nazwany, co – jak już napomknąłem z okazji Marcina Bielskiego – o tyle jest słuszne, że dawni historycy, a do nich Długosz należał, byli wybornymi literatami. Wcześniejszy od Długosza kronikarz naszych dziejów, Wincenty Kadłubek był w tymże Sandomierzu inicjatorem budowy największej w Małopolsce kolegiaty z końcem XII wieku, co jest oczywiste z uwagi na częste tu pobyty wielu władców Polski oraz ważność samego grodu, mającego herb taki sam, jaki ma całe państwo: białego orła na czerwonej tarczy. I tu także, na potwierdzenie tolerancji, kontrastującej z terrorem wszecheuropejskiej kontrreformacji XVI stulecia, odbył się w 1570 roku zjazd luteranów, kalwinów i innych wyznań niekatolickich dla zawarcia tzw. sandomierskiej zgody, co utorowało drogę oficjalnemu, monarszemu potwierdzeniu swobody sumienia w Polsce w roku 1573.

W ważkiej roli państwowej – bo bywał Sandomierz w średniowieczu równany ze stolicami prowincji typu Krakowa czy Wrocławia! – stało się miasto dziś głównie turystycznym klejnotem. Nie dziwota, położone jest tak pięknie, że każdy, kto w owym „polskim San Giminiano" raz się znalazł, tęskni doń zawsze. Niechaj tu będzie ilustracją pułkownik Skopenko, radziecki dowódca z ostatniej wojny, który w sierpniu 1944 roku wyrwał miasto z rąk hitlerowców i takim stał się Sandomierza patriotą, że dziś, zgodnie ze swą ostatnią wolą, spoczywa na sandomierskim cmentarzu.

those alluring meadows are unfortunately the receptacle of sewage from the town, giving off such a sky-high stench that even in a closed car one's hair stands on end. But let us speak of more pleasant things. "Sandomierz looks down from its high hill by the river to the south and its silhouette from the river is beautiful, simple and clearly defined. It has its cathedral and a Gothic house built by one of the first Polish writers, also the Town Hall with its light brick parapet, delighting the eye with its simple openwork, a group of churches with baroque façades and light roofs, embodying all the charm of the Vistulan landscape."

The Gothic house was built by Jan Długosz, referred to as a writer by a writer, which – as I have already said in connection with Marcin Bielski – is sufficiently justified by the fact that the old historians, and Długosz was one of them, were excellent writers. Here, in Sandomierz, a chronicler of our history who lived in earlier times than Długosz, Wincenty Kadłubek, initiated the building of the largest late 12th century collegiate church in the region called Małopolska (Little Poland). This is not surprising considering that the town was often visited by many Polish rulers and because of the importance of the town itself which has the same coat of arms as the whole state: the white eagle on a red shield. Here also, as a confirmation of the tolerance existing in Poland as opposed to the persecutions of the Counter-Reformation all over Europe in the 16th century, a gathering of Lutherans, Calvi-

Zwartość, zwięzłość niejako starego ośrodka, gdzie na kilkunastu malowniczo pochyłych uliczkach zbiera się bukiet przepysznych zabytków architektury: renesansowy Ratusz, obok kamienica Oleśnickich – starego rodu rycersko-kanclerskiego, siedemnastowieczne kolegium, ów Dom Długosza, wspomniana majestatyczna katedra hucząca w święta starymi dzwonami (jeden z nich, jak olbrzym wawelski, również zwie się Zygmunt), na trzynastowiecznym trzonie wzniesione: kościół i szpital Św. Ducha, obrośnięte warstwami rozmaitych stylów, wreszcie zamek królewski, niegdyś napowietrznym łukiem połączony ze wzgórzem kolegiaty, i poniżej znak dawnego wiślanego bogactwa miasta – zabytkowy spichlerz.

Ostatnimi zaś laty, w związku z renowacją zabytków i koniecznymi po temu wykopami, natrafiono na inne jeszcze miasto: na Sandomierz podziemny! Oto wzgórze okazało się być przebite w stu rozmaitych kierunkach wielkim labiryntem tajemnych korytarzy, tuneli i przejść. Byłoby to dodatkową turystyczną ciekawostką, gdyby nie nagła groza, nagłe niebezpieczeństwo, jakie zawisło nad Sandomierzem w czasie dokonywania tych odkryć: grunt począł się niebezpiecznie obsuwać! Wydrążona ziemia,

nists and other non-Catholic denominations took place in 1570 to conclude what was known as the Sandomierz Agreement, which paved the way for the official confirmation by the king in 1573 of freedom of conscience in Poland.

Today the town that once played an important part in the life of the state – for in the Middle Ages Sandomierz was compared with such provincial capitals as Cracow and Wrocław – has become mainly a tourist attraction. This is not surprising for it is so picturesquely situated that anyone who has once been to that "Polish San Gimignano" will always long to go back. To illustrate my point there is the case of Colonel Skopenko, a Soviet commander in the last war, who took the town from the Nazis in August 1944 and became such a patriot of Sandomierz that, in accordance with his last will, he rests today in the Sandomierz cemetery.

There is a compactness, a sort of concise air about this old centre in which a nosegay of magnificent historic buildings has been gathered in a dozen or so sloping streets. There is the Renaissance Town Hall, next to it the house of the Oleśnicki family of knights and chancellors, the 17th century collegiate church, the previously mentioned house of Długosz and the majestic cathedral with its old bells whose deep sound fills the air on feast days (one of them, like the giant bell of Wawel, is also called Sigismund), the church and hospital of the Holy Ghost erected round the original 13th century "core" and "overgrown" with later layers in various styles, and last but not least the royal castle, once linked by an overhead arched passage with the collegiate hill, and lower down the historical granaries testifying to the wealth brought to the town by trade along the Vistula.

In recent years, in connection with the renovation of these historic buildings and the excavation work this involves, another Sandomierz was uncovered: the underground town! It was found that the hill was bored through in a hundred different directions by a whole labyrinth of secret passages and tunnels. This held the promise of being an added tourist

tknięta na dodatek pracami kopaczy, drgnęła i niemal panika zaczęła ogarniać wszystkich świadomych rzeczy. Ruszyła już ewakuacja ludzi w obliczu niebezpieczeństwa runięcia ich domostw, lecz nie to zdało się najgorsze, ale perspektywa rozsypania architektonicznych i urbanistycznych skarbów miasta. Cała Polska śledziła wysiłki ratowników. Skarpa ku Wiśle ukazywała groźne spękania i szły lawinki ziemi, słowem katastrofa zaglądała do oczu.

Ruszyli tedy na ratunek wszyscy, kto mógł, z geologami, górnikami i uczonymi wszech pokrewnych dziedzin na czele. Stosowano wszelkie środki zaradcze, przypomniano sobie dyskusje o podtrzymaniu wciąż chylącej się ku ziemi wieży w Pizie, wspomniano alarm warszawski, kiedy zaczął w czasie prac ziemnych pękać ogromny kościół Św. Anny na nadwiślańskim zboczu. Wypłynęło ponownie nazwisko gdańskiego uczonego, prof. Romualda Cebertowicza. Jest on twórcą szczególnej metody utwardzania gruntu zwanej zeskalaniem, a – jeśli dobrze pomnę – po raz pierwszy na większą skalę właśnie przy kościele warszawskim zastosowanej. Wynalazek uczonego, jak każdy doskonały pomysł, był rewelacyjnie prosty, zasadzał się na powszechnie znanym zjawisku ze szkolnych doświadczeń: wkładamy do płynu anodę i katodę, puszczamy prąd i wówczas drobinki osadzają się na ujemnej katodzie (tak m.in. następuje galwanizacja przedmiotów), tu wszakże metalowe pręty, czy zgoła rury specjalnie dziurkowane, zostają wsunięte w ziemię. Kiedy zaś włączymy elektryczność, zaczną się wokół katody gromadzić wprowadzone w pory gruntu: szkło wodne, chlorek wapnia i inne ingrediencje, aby w efekcie utworzyć żel krzemionkowy, coś na kształt potężnego, z dookolną ziemią silnie zrośniętego filaru, który wzmacnia podłoże solidnym pasmem sztucznej skały. Takie więc rdzenie, obok tradycyjnego zastrzykiwania rozmaitych zawiesin cementowych itp., tworzą swoisty szkielet w sypkim zboczu, zatrzymują jego ruchy i zażegnują niebezpieczeństwo dalszego usuwania się skarpy. Elektropetryfikacja prof. Cebertowicza wraz z towarzyszącymi jej innymi środkami uratowały sytuację: Sandomierz stoi dziś bezpiecznie, kto wie, na trwalszej może skale, niż dawniej.

attraction, if it were not for the sudden threat, the danger that loomed over the town in the course of these discoveries: the ground began to show signs of dangerous subsidence! The tunnel-riddled ground, additionally disturbed by the excavation work, trembled and a feeling that was near to panic seized those who knew what this meant. People were evacuated from threatened houses that might collapse, but even this did not seem worse than the prospect of seeing the architectural treasures of the town crumble into ruins. The eyes of all Poland were on those working to save the town. Ominous cracks appeared in the Vistula embankment and there were little land-slides. The situation looked catastrophic.

Literally everyone who could help joined in the rescue campaign led by geologists, miners and scientists specializing in kindred fields. Every known means of averting the danger was applied, the experts recalled the discussion on saving the leaning tower of Pisa whose deviation from the perpendicular is slowly increasing, and also the alarm in Warsaw when the huge Church of St. Anne on the high bank of the Vistula began to crack during the course of earth work. And again we heard Professor Romuald Cebertowicz of Gdańsk, inventor of the special method of hardening ground known as petrification and – if my memory does not deceive me – used for the first time on a large scale in saving Warsaw's Church of St. Anne. Professor Cebertowicz's invention, like all excellent ideas, was amazingly simple, based on the generally known phenomenon remembered from school experiments; an anode and cathode are immersed in liquid and electric current switched on as a result of which molecules are precipitated onto the negative cathode (like the process of galvanization). In Professor Cebertowicz's method metal bars or specially perforated pipes are driven into the ground and when the current is switched on, water-glass, calcium chloride and other ingredients introduced into the pores of the ground, turn into silica gel creating a sort of huge pillar enclosing the ground, strengthening the subsoil with a solid strip of artificial rock. Such a core, in addition to the traditional methods of inject-

Inna sprawa, że sandomierskie wydarzenia przypomniały – i uczyniły po trosze „modnymi" – problemy rozmaitych podziemi dawnego pochodzenia. Ileż podobnych, nawet przed wielką ofensywą remontową, odkryto w Krakowie i w mnóstwie innych miejsc kraju! To nie tylko zwykłe, bodaj nawet piętrowe, piwnice i loszki, lecz całe konfiguracje szlaków podziemnych, na ogół poprzerywanych niegdysiejszymi tąpnięciami, niemniej stale intrygujących, a często związanych z baśnią, legendą, mrożącą krew w żyłach opowieścią staruszków. Niedawno w prastarej piwnicy krakowskiej dokonano ogromnie ważnego odkrycia: oto znaleziono ogromny blok tzw. płacideł, czyli dawnych pieniędzy, które mają formę żelaznych toporów. Nie używano ich do rąbania, ale tylko do obrotów finansowych! Co zaś szczególnie istotne, to związek znaleziska z księstwem Wiślan, a więc dowód, że było to solidne, bogate księstwo.

Jarosław Iwaszkiewicz był posłem z ziemi sandomierskiej do Sejmu PRL. Ogromnie to dawna tradycja, taki wybór. Odległymi wieki rządy w Polsce sprawowała jedna, ale za to bardzo liczna i zróżnicowana warstwa – od magnatów bogatszych niż niejeden zachodni książę udzielny, po biedaków, co nie mając na pochwę do swej szabli, obciągali ostrze skórką leśnego węża, ale wszyscy się chełpili posiadaniem herbu, który ich równał wobec praw i ustaw – warstwa szlachty. Nie istniały w Polsce tytuły w rodzaju hrabiów, baronów czy książąt i jeśli się z czasem jęły pojawiać wśród co bogatszych familii, był to import z obcych dworów,

ing various cement solutions etc. into the ground, forms a sort of skeleton in a crumbling embankment or slope, checking its movements and preventing further subsidence and landslides. Professor Cebertowicz's electropetrification, together with other measures used with it, saved the situation. Today Sandomierz stands safe and sound, who knows, perhaps on stronger foundations than in the past.

It is another matter that the Sandomierz experience drew our attention to problems connected with various underground vaults and passages originating from olden times, so that such methods gradually became all the vogue. How many similar underground constructions were discovered, even before we began the great renovation offensive in Cracow and many other places in our country! And they are not only ordinary vaults and cellars, some with several levels, but whole systems of underground passages, mostly blocked by earlier subsidence and crumbling, but nevertheless very intriguing and often the subject of blood-curdling tales and legends told by old people. Not so long ago in an old Cracow cellar an important discovery was made. This was a large collection of iron axes which in the past ages were used not for chopping but as legal tender. What is particularly significant is the connection between the hoard and the duchy of Vistulans, an evidence of the latter's strength and wealth.

Jarosław Iwaszkiewicz was elected deputy to the Polish Seym representing the Sandomierz constituency. Such elections have very old traditions. In past ages, Poland was governed by one class, the gentry, but it was very numerous and diversified – from magnates richer than more than one western sovereign prince down to impoverished gentry who, not being able to afford a sheath for their swords, covered the blade with the skin of forest snakes. But all of them could boast of a coat-of-arms that made them equal as regards their rights and the laws. There were no titles such as count, baron or prince, and if they were found sometimes among the richer families, it was a title imported from foreign courts, conferred by popes and emperors outside the coun-

nadania papieży, cesarzy zza granicy, prezenty z cudzej ręki. Za to, wedle tutejszych praw każdy szlachcic mógł zostać nawet królem Polski (i tak też się po wygaśnięciu dynastii Piastów i Jagiellonów, w dobie monarchów obieralnych, zdarzało: królowie Wiśniowiecki, Sobieski, Leszczyński i Poniatowski, jedynie szlacheckiej, nie zaś monarszej proweniencji). Ta sama warstwa społeczna wyłaniała spośród siebie parlament, dużo wcześniej niż w wielu innych krajach ustanowiony na polskiej ziemi i równy, a bywało że i przerastający tron w swoich decyzjach. Do dziś nazwa tego parlamentu, Sejm, trwa nienaruszenie i, jak bywało ongiś, ziemie, okręgi wybierają swoich przedstawicieli. Takim właśnie posłem był obok wielu innych literatów, Jarosław Iwaszkiewicz, miłośnik ziemi, która przydała mu mandat sejmowy, ziemi sandomierskiej.

Objeżdżał ów okręg od wielu dziesiątków lat, znał różnice przez te lata naniesione, a jeśli usłyszymy w opisie nutkę melancholii, pamiętajmy też o biegu czasu rozjaśniającym wspomnienia, a przydającym dzisiejszemu spojrzeniu zawsze szczyptę nostalgicznej goryczy. „Rzecz prosta – pisał więc artysta – że obecnie cały dojazd, całe wrażenie, jakie się odbiera z miasta, jest zupełnie, ale to zupełnie inne niż przed trzydziestu czy czterdziestu laty. Jakże daleki jest dzisiejszy Sandomierz od idylli z lat bezpośrednio poprzedzających wojnę, a nawet z lat zaraz po tej wojnie następujących. – Nie ma już tych przyjaciół, którzy tutaj przyjeżdżali, i mieszkańcy Sandomierza znacznie się przerzedzili, jeżeli chodzi o przyjaciół i znajomych. Ludzie nowi i nowe instytucje, wszystko się poprzekręcało, pobudowały się wspaniałe budynki urzędowe, z którymi na dobry ład nie wiadomo co robić, bo Sandomierz przestał być powiatem, a województwem pomimo wielkich ambicji nie został. – Przerabianie starego miasta na jakiś skansen, zamienianie wszystkich domów, w których dawniej mieszkali ludzie i bujne życie kwitło, na coś w rodzaju muzeów, oczywiście ma swoje uzasadnienie, ale starym przyjaciołom miasta nie odpowiada. – Mimo woli wspomina się czasy, kiedy na Zamku siedziało więzienie i kiedy się walczyło o jego ewakuację, kiedy targi były w pobliżu Ratusza i kiedy łatwiej było o nabycie jakiegoś kożusz-

try as a foreign gift. But the regulations here envisaged that every member of the gentry was eligible, if elected, to become king of Poland (and this did happen after the dynasties of the Piasts and Jagiellons became extinct, in the period of elected monarchs, to mention only Michael Korybut Wiśniowiecki, John Sobieski, Stanislaus Leszczyński and Stanislaus Augustus Poniatowski, men of gentry origin, not of royal blood, who were all kings of Poland). This same gentry class formed a parliament by electing deputies from among its ranks; this happened much earlier than in many other countries and in Poland the parliament had equal power with the king in taking decisions: in some cases its power was greater than that of the throne. The name of this parliament, the Seym, has remained unchanged to this day and as of old, regions and districts elect their parliamentary representatives. A Seym deputy elected in this way, like many other writers, was the late Jarosław Iwaszkiewicz, who had such a great love for the region that gave him his parliamentary mandate, the Sandomierz region.

He travelled round the region for dozens of years, knew all the changes that took place there, and if in his later descriptions we find a note of melancholy, we should remember the passing of time, the fond memories that always give a nostalgic, bitter taste to the impressions of today. "Naturally," wrote Iwaszkiewicz, "the approach to the town and the general impression one gets on entering it are quite different from what they were thirty or forty years ago. What a far cry today's Sandomierz is from the idyllic place it was just before the last war, and even in the years directly following it. I no longer meet the friends who used to come here and the friends and acquaintances I had among its inhabitants are greatly reduced in number. There are new people and new institutions, everything has changed out of all recognition. Magnificent public buildings have been erected and now there is no knowing what to do with them because Sandomierz has ceased to be a district town and has not become a voivodship capital despite its great ambitions.

ka niż teraz, kiedy targ jest niedostępny, daleki i chyba stracił dużo ze swego charakteru. – Jeszcze niedawno na święty Wincenty [patron kronikarza Kadłubka, dobroczyńcy miasta – S.K.] procesja, prowadząca biskupa z pałacu do katedry, mieszała się z handlarzami garnkami glinianymi, kogutami i malowniczymi «trafikami», których tarcze za marne 25 złotych zatrzymywały się na z góry wybranym przedmiocie, np. kogucie białym w szafirowe kwiaty, jaki dziś stoi w moim gabinecie i pomaga mi wspominać swoją ojczyznę".

"Turning an old town into a sort of skansen-type museum, changing old houses, which once resounded with the voices and vibrated to the activity of the people who lived there into museum pieces has, of course, some justification, but it is not what the old friends of the town want to see. In spite of oneself, memories come crowding back of the days when the castle was occupied by a prison and campaigns were organized to get it evacuated, when market days were held by the Town Hall and when it was easier to get a sheepskin coat than it is now, the market having become inaccessible, too far away, and, I think, without much of its old character. Not so long ago, on St. Vincent's Day [patron of the chronicler Kadłubek, who did much for the town, S.K.] the processions that went with the bishop from the palace to the cathedral mingled with vendors selling clay pots, cocks and the picturesque 'little wheels of fortune' that for a payment of only 25 zlotys you turned so as to stop at a chosen object, like the white cock with sapphire coloured flowers painted on it, which today stands in my study and brings back memories of my land."

Rozdział 5

OD ZAWICHOSTU DO PILICY

Pożegnawszy rejon Sandomierza, do którego płynęliśmy – że się tak z morska wyrażę – kursem Nord-Ost, przekładamy ster o ileś rumbów w lewo i ruszamy niemal dokładnie na Nord, jak wskazuje linia rzeki. I wnet trafiamy na (położone po lewej stronie Wisły) miasteczko Zawichost, jedno z najbardziej popularnych w naszym kraju, a to skutkiem specjalnej przyczyny. Oto codziennie w radiowym komunikacie „o stanie wody na głównych rzekach Polski" pada pośród innych danych nieodmiennie informacja, że „w Zawichoście przybyło osiem centymetrów", albo „ubyło cztery", stan zaś ogólny „zawiera się w górnej strefie stanów średnich", lub coś tego typu.

Niedawno też zjawiła się w części prasy dyskusja na temat jakiejś piosenki opiewającej Zawichost, ale dlatego, że nazwa ta w języku polskim daje się łatwo rymować z mostem – i poszła sprawa o to, że akurat tam żadnego mostu nie ma i że poeta wprowadza naród w błąd...

O, właśnie! Jak się ludziska przedostają na drugą stronę wody, gdy brak mostu? W Zawichoście można się o tym przekonać, obserwując prastare urządzenie transportu wodnego

Chapter 5

FROM ZAWICHOST TO THE RIVER PILICA

Leaving behind us the region of Sandomierz, to which we came taking a north-east course, we swing the rudder a few rhumbs to the left and our new course is almost due north, following that of the river. It is not long before we come to the small town of Zawichost on the left side of the Vistula, which is one of the best known in our country, for a special reason. Every day in the radio communiqué about the water level of Poland's main rivers we hear among other data the regular report informing us that "in Zawichost the water level has risen eight centimetres", or that it has "dropped four centimetres" and that the general level "is within the upper zone of medium level", or something of the sort.

Recently also there was a discussion in some of the papers about a song extolling Zawichost, but the reason for this was that in Polish Zawichost rhymes with "most" (bridge) and the whole discussion started because there is no bridge in Zawichost and it was pointed out that the poet was misleading the nation...

That's just it! How do the poor folk there get across the river if there is no bridge? You

zwane promem. Dla wielu, zwłaszcza młodych i w mieście wychowanych ludzi pojęcie to jest dość niejasne, spieszę więc z opisem:

Do płaskiego w danym miejscu brzegu dochodzi rozjeżdżona mnóstwem kół droga terenowa tykająca wody, a na wodzie, niby rozległa platforma, o dwu bokach obrzeżonych drewnianymi barierkami, tkwi ów prom. Jednostka pływająca, lecz jedynie w poprzek rzeki, spiętej w tym miejscu mocną, tęgą liną. Przewoźnik (określany przez młodzież „kapitanem żeglugi poprzecznej"), gdy już prom zapełni się wozami, czasem autami, a przede wszystkim pieszym narodem, zakłada na linę coś podobnego do maczugi, ale naciętego wąską szczeliną – i wparłszy silnie nogi w pokład, ciągnie przyrząd ku sobie. Sznur się nieco napręża, całość zaś nieznacznie przesuwa wzdłuż liny, i tak kawałek po kawałku, zahaczając o coraz dalsze fragmenty tejże liny, pracownik promu w pocie czoła macha swoją kopyścią wzdłuż sznura, ciągnąc prom ku przeciwległemu brzegowi. Oczywiście i tu z czasem zjawiła się mechanizacja w postaci motorka przewijającego ową linę, niemniej zasada ogólna pozostała taka, jak przed wiekami.

can see how if you go to Zawichost, and have a look at the age-old means of water transport known as the ferry. For many, particularly young people brought up in towns, the river ferry is something they are not very clear about. So I'll describe it:

The local road, worn smooth by numerous wheels, runs right down to the river's edge where the bank is lowest, and on the water is what looks like a large platform with wooden railings on both sides. This is the ferry. The vessel, which is only used for crossing the river, is worked by means of a strong steel cable stretching to the opposite bank at this place. When the ferry has taken a full load of carts, sometimes cars, but above all pedestrians, the ferryman (called by young people the "captain of cross-river navigation") fixes something like a club with a narrow groove cut in it on the cable and, planting his feet firmly on the deck, pulls it towards him. The cable tightens slightly and the ferry moves a little way along it. And in this way, bit by bit, taking in more and more of the cable, the ferryman wielding his club by the sweat of his brow pulls the ferry across the river to the other bank. Of course, with time this primitive method was replaced by a motor pulling in the cable, but the general principle remains the same as in ages past.

Gdy zaś prom swoją nisko wiszącą „podłogą" wryje się w docelowy brzeg i zatrzyma, pasażerowie wysiadają, a na ich miejsce wkracza grupka tych, co czekali, by się udać w przeciwnym kierunku. Tak wahadłowym ruchem, bez pośpiechu i hałasu, kursuje szczególna jednostka wodna.

Przesuńmy się teraz dalej ku północy, lecz niezbyt daleko, bo już niewiele kilometrów za Zawichostem natrafiamy na wieś związaną ze znaczącymi w naszych dziejach postaciami. Wieś ta zwie się różnie, bo jedni mówią na nią Piotrawin, inni Piotrowin. I tu właśnie ciekawostka:

Jeśli ktoś wygląda wyjątkowo mizernie, powiada się o takim, że wygląda jak Piotrowin; skąd to porzekadło? Sięgnijmy do znanego już nam dziejopisa, Marcina Bielskiego.

Rzecz działa się w wieku jedenastym, pod rządami króla Bolesława, zwanego Śmiałym lub Szczodrym (a tego typu przydomki z zasady były trafną charakterystyką postaci, jak np. Bolesław Chrobry, Kazimierz Wielki, lub – skandynawskim wzorem Czarnozębnych czy Widłobrodych – król Laskonogi, Kędzierzawy, Krzywousty albo Łokietek, który liczył sobie tylko 132 cm wzrostu*). Jednakże kler bardzo krzywym okiem patrzył zawsze na szczodrego monarchę, zważywszy zaś fakt, iż dawnymi wieki tylko duchowni parali się spisywaniem historii, można ulec zdumieniu, że mimo to hojność i śmiałość władcy dotrwała w tradycji do naszych czasów, że istnieje wciąż wyraźna sympatia do tego właśnie panującego. Bielski posłusznie powtarza w kościelnym duchu swoje negatywne opinie o Bolesławie, pisząc m.in. „Pospólstwo pobory niezwykłymi [podatkami] cisnął; nie sądził, ani krzywd ubogim ludziom czynionych zabraniał; swemi niewstydliwemi bawiąc się wszeteczeństwy. Piszą to o nim, że Mścisławowi z Bużenina miał wziąć żonę Krystynę, o co go napominał Stanisław Szczepanowski, który na ten czas był Biskupem Krakowskim... A gdy [król] tego nie chciał poprzestać, wyklął go"

* Tak przynajmniej mi powiedział historyk prof. dr Jan Baszkiewicz.

And when the ferry with its low "floor" embeds itself in the sand on the other side and stops, the passengers get off and are replaced by another group of people waiting to cross the river in the opposite direction. Thus, going backwards and forwards, without haste and noise, this original means of water transport does its daily ferrying service.

And so we go on towards the north, but not very far, because several kilometres from Zawichost we come to a village associated with some important personalities of Polish history. The village is known by different names, some call it Piotrawin, others Piotrowin. There is a story attached to the village.

If a person is looking particularly off colour, it is said that he looks like Piotrowin. Where did this saying come from? Let us have a look once again at the chronicle of Marcin Bielski.

The story takes us back to the 11th century, in the reign of King Boleslaus the Bold, also known as Boleslaus the Bountiful (cognomens of this kind were usually an accurate indication of the characteristics of the person in question, for example, Boleslaus the Brave, Casimir the Great, or – modelled on such Scandinavian by-names as Black Toothed or Forked Bearded – Spindleshanks, the Curly, the Wrymouthed and the Short, the height of the last mentioned being – according to Prof. Jan Baszkiewicz – only 132 cm). The clergy looked with disapproval at Boleslaus the Bold, so if we bear in mind the fact that in those early times only the clergy wrote chronicles, it is amazing that in spite of this the generosity and boldness of that ruler are traditionally accepted up to this day and that there is a lot of sympathy for him. Bielski, obediently repeating the opinions of the Church, gives a negative picture of Boleslaus, writing, among other things: "He imposed heavy tolls on the populace, did not pass judgement or protest against the wrongs done to the poor, leading a life of shameless lechery. It has been written of him that he seduced Krystyna, wife of Mścisław of Bużenin, and was rebuked for this by Stanislaus Szczepanowski, at that time Bishop of Cracow...

Tak, wedle księżych słów, zaczął się był konflikt między biskupem ze Szczepanowa herbu Prus I, a Szczodrym, którego tak zwano mimo owego gnębienia podatkami.

„Ten biskup krakowski Szczepanowski – kontynuuje Marcin Bielski – kupił był przedtem wieś Piotrawin, u Piotrowina, o którą [wieś] pozwali Biskupa przed Króla przyjaciele nieboszczykowi". Zapewne spadkobiercy, wedle dzisiejszego rozumienia. Dość, że szło o dowód, iż owa miejscowość została prawnie nabyta. „Pytano Biskupa, którym prawem dzierży wieś Piotrowin. Stanisław Biskup powiadał, iżèm ją kupił y zapłacił nieboszczykowi Piotrowi [Piotrowinowi], który jako umarł jest na cztery lata.

And when he [the king] did not want to mend his ways, the bishop excommunicated him."

Yes, according to what the priests wrote, a conflict did arise between Bishop Stanislaus of Szczepanów (Szczepanowski) and Boleslaus the Bountiful, so called despite his heavy taxation of the populace.

"Szczepanowski," continues Marcin Bielski, "had purchased the village of Piotrawin, from Piotrowin, and the friends of the deceased came before the king questioning the bishop's right to the village." Bielski was probably referring to the heirs of Piotrowin as we would say today. The fact is that they wanted proof that the village had been legally purchased. "The bishop was asked what right he had to own the village of Piotrowin. Bishop Stanislaus said he had purchased it and paid Piotr (Piotrowin) for it. Piotrowin had been dead four years. The opposing side said: 'How can

Strona [przeciwna] powiedziała: czym tego dowiedziesz, albo gdzie masz tego zapis? – Biskup wziął sobie na pewny dowód [w terminie] do trzeciego dnia, a w tÿm czasie kazał pościć wszemu Duchowieństwu i modlitwy czynić, aby mu Pan Bóg świadka ożywił, który by rzecz sprawiedliwą zeznał przed prawem. Po tym wszedł do kościoła Św. Tomasza w Piotrawinie, kazał odkryć grób Piotrów, tknął go laską Biskupią, a rękę mu podał i rzekł: – W imię Ojca y Syna, y Ducha Świętego, Pietrze wstań – a rzecz sprawiedliwą zeznaj! – y wstał Piotr, którego Biskup przed sąd Królewski przywiódł; tam zeznał Piotr, iż przedał Biskupowi wieś Piotrawin y wziął zupełną zapłatę od niego. Tamże karał przed Królem przyjaciele słowy, iż się upominają tego, do czego im nic, a iż też temu świętemu Mężowi trudności zadawają niewinnie. A tak dowiódł swej rzeczy Biskup."

you prove it? Have you got written proof?' The bishop undertook to supply certain proof within three days and during that time told all the priests to pray to God to bring the witness to life again so that he could testify before the law. Then he went into the Church of St. Thomas in Piotrowin, ordered Piotrowin's tomb to be opened, touched him with his bishop's staff, took him by the hand and said: 'In the name of the Father, the Son and the Holy Ghost, rise Piotr and testify to the truth!' And Piotr rose up and was taken by the bishop to the royal court, where he testified that he had sold the village of Piotrowin to the bishop and taken full payment for it. Then he rebuked his friends for asking for something they had no right to and for giving this innocent man of God so much trouble. And in that way the bishop proved his right to the village."

W najświetniejszej komedii naszego klasyka Aleksandra Fredry, *Zemście*, powiada Rejent Milczek swoje sławne „nie brak świadków na tym świecie", z opisanej zaś historii widać, że w razie czego nie brak ich i na tamtym! Zapyta ktoś przy okazji, co było z usłużnym Piotrowinem dalej; otóż Biskup „spytał potym Piotra: jeśli chce być żyw, czyli zasię do grobu iść? Powiedział [Piotrowin]: iż wolę wieczny żywot mieć, a nigdy już nie umierać, któregom już blisko [to znaczy – blisko zbawienia wiecznego – S.K.], jedno proszę, módl się za mną do Pana Boga, aby mnie z Czyśćca wybawił, bo jeszcze mam w nim być do pewnego czasu, wszakże nie długiego. Także uczynił, wstąpił zasię w grób, oczy zawarł, przysypan ziemią. Rozjechali się z tego sejmu wszyscy".

Niemniej, obok wrogów w postaci spadkobierców nieboszczyka, co był wstał na chwilę, by przeciw nim świadczyć, miał biskup nadal wroga w samym królu Bolesławie, złym za klątwę kościelną... I nastąpiła scena posępna, którą Bielski tak opisuje:

„[Król] szedł za nim [Biskupem], wziąwszy ze sobą kilku Dworzan i onych, co skarżyli o bliskość wsi Piotrawin. Gdy przyszli na Skałkę [świątynia w pobliżu Wawelu – S.K.], kazał go [Król Biskupa] ode Mszy przed kościół wywieść, oni gdy chcieli tak uczynić padli wznak, chcieli drugi raz – takoż. Przetoż on [Król] potym sam szedł, z a b i ł Biskupa we Mszą, na Skałce w Kościele... Działo się to lata 1079 dnia 8 Maja".

In the best comedy by our classic playwright Aleksander Fredro, *Zemsta* (Revenge), the notary Milczek says: "There is no lack of witnesses in this world", but in the story just told it would appear that, when needed, there is no lack of them in the other world either! However, the reader may ask what happened to the obedient Piotrowin after he had testified; well, "Afterwards, the Bishop asked Piotr, 'Do you want to stay alive or go back to your grave?' Piotrowin said, 'I prefer eternal life so that I shall never die, and it is already near [this means he was near to eternal salvation, S.K.], all I ask is that you pray to God to take me out of purgatory because I have to stay there for a time, although not very long. And this the bishop did; Piotr went back to his grave and closed his eyes and was covered with earth again. And after this seym they all went their ways."

Nevertheless, in addition to such enemies as the heirs of Piotrowin, who himself rose from the grave to testify against them, the bishop still had an enemy in King Boleslaus who was angry at being excommunicated by the Church... And there followed a grim scene described as follows by Bielski:

"The king followed him [the bishop], accompanied by several courtiers and those who had questioned the bishop's right to Piotrowin. When they came to [the Church on] the Rock near Wawel Hill the king ordered that he [the bishop], who was saying Mass, be brought out in front of the church, and when they went to do this they fell flat on their faces, then they went a second time and the same thing happened. Then he [the king] went into the church himself and killed the Bishop while he was saying Mass in the church on the Rock... This happened in the year 1079 on the 8th of May."

That is one version of the story, the Church version, for Stanislaus of Szczepanów, as centuries passed, was gradually surrounded by an aura of saintliness evoked by more legendary stories and accounts of the miracles he had performed (beginning with the account of how his dismembered body had grown together again) and nearly two hundred years later he was canonized. "Just after this,"

Tak brzmi jedna z wersji wydarzenia, wersja kościelna, jako że właśnie postać Stanisława ze Szczepanowa zaczęła być z biegiem wieków zdobiona dodatkowymi podaniami, relacjami o cudach (począwszy od cudu zrośnięcia się rozrąbanego ciała), co w prawie dwieście lat później doprowadziło do kanonizacji biskupa. „Zaraz potem – dodaje historyk Aleksander Gieysztor – powstała ikonografia, gdzie cud zrośnięcia się członków pilnowanych przez orły otrzymał, tak jak w tekstach, pełną wymowę patriotycznego oczekiwania na zjednoczenie Polski", pokreślonej, jak już wiemy, granicami dzielnic i księstw. Ten nurt relacji akcentuje przemożną i niemal decydującą rolę Kościoła w dziejach kraju, zwłaszcza że z czasem też ustanowiono św. Stanisława Szczepanowskiego patronem Polski.

Ci jednak badacze, którzy inaczej patrzą na bieg wydarzeń i nie każdemu posunięciu kleru przypisują pozytywną rolę w naszych dziejach, a nawet wręcz wskazują, kiedy i gdzie presja Rzymu wywoływała opłakane skutki (jak np. zbędne, szkodliwe politycznie wojny, od klęski naszego króla pod Warną w 1444 roku aż po wątpliwy sens wyprawy antytureckiej, zwycięstwa pod Wiedniem w roku 1683, plus liczne dodatkowe przykłady strat rozmaitych) – a więc badacze o odmiennej orientacji odmiennie też komentują wypadki sprzed dziewięciuset lat.

Tenże Aleksander Gieysztor broni króla Szczodrego vel Śmiałego przed zarzutami, jakie mu stawiał biskup Stanisław w dziedzinie „niewstydliwych wszeteczeństw". Doktor Mateusz Siuchniński zaś, niezwykle u nas popularny dzięki błyskotliwym, dowcipnym, a zarazem pełnym głębokiej wiedzy publikacjom popularnonaukowym – w swojej wielce atrakcyjnej *Gazecie Tysiąclecia* drukował w 1966 roku pod tytułem *Sprawozdanie z sądu nad biskupem Stanisławem*, relację, którą przytaczam, upraszczając nieco język pełen staropolskich wyrazów i nie najłatwiejszy do zrozumienia.

„11 kwietnia 1079 roku w grodzie krakowskim w przytomności króla Bolesława odbył się sąd nad biskupem Stanisławem obwinionym o zdradę. [Tu warto dodać, że mnich-kronikarz zwany Gallem-Anonimem, choć uchylał się w swoim dziele od wchodzenia w szczegóły sprawy, jednakże użył dosłownie, mówiąc

adds the historian Aleksander Gieysztor, "St. Stanislaus became the subject of iconography, in which the miraculous growing together of his dismembered limbs, guarded by eagles, assumed patriotic meaning – as in writings – symbolizing the awaited unification of Poland" (then divided as we know by the boundaries of districts and principalities). This kind of account emphasizes the powerful and almost decisive role of the Church in the history of the country, particularly as St. Stanislaus of Szczepanów was later made the patron saint of Poland.

However, those scholars who take a different view of the course of events and do not consider every move of the Church to have played a positive role in our history, even pointing out when and where pressure from Rome brought lamentable consequences (to mention only the unnecessary, harmful political wars, from the defeat of a Polish king in the battle of Varna in 1444, to the questionable sense of the expedition against the Turks, the relief of Vienna in 1683, as well as many other examples of various losses), also have different comments to make about events that took place nine centuries ago.

Aleksander Gieysztor, already quoted above, defended King Boleslaus the Bountiful (otherwise the Bold) questioning the charges levelled against him by Bishop Stanislaus regarding his "shameless lechery." Mateusz Siuchniński,

o biskupie, określenia «traditor–zdrajca» – S.K.]. Factum krakowskiego infułata jest chyba ostatnim ogniwem spisku, wymierzonego przeciwko władzy miłościwego Bolesława. Wielu spiskowców nie zostało wszakże ujętych. Na wolności przebywa jeszcze zaufany księcia Władysława, królewskiego brata – Sieciech... uszedł też Czesław Turzyn. Mimo wykrycia spisku kraj przeżywa groźne chwile. Do Krakowa zbliża się ponoć wojsko króla czeskiego Wratysława, zbroją się też Niemce. Oto są skutki buntu możnych. Sądzony dziś biskup Stanisław Szczepanowski ze Szczepanowa jest j e d n y m z g ł ó w n y c h b u n t o w n i k ó w. [...]

Sąd został odprawiony na Wawelu, na wzgórzu między katedrą a kościołem Św. Michała. Na wysokim zydlu zasiadł miłościwy król, a po obu jego stronach komesi z wojewodą Dobrogostem z rodu Jastrzębiów i komesem grodu łęczyckiego, Niegosławem na czele. Kiedy przed ławę doprowadzono oskarżonego, wystąpił Dobrogost i powiedział: – Miłościwy królu, wnoszę skargę na obecnego biskupa, który przez swego kapelana diakona Marcina namawiał twoich wojów, stojących w polu, aby ciebie króla odstąpili i uciekli. Oskarżam też biskupa Stanisława o to, że zmawiał się przeciw tobie, królu, z opatem weltenburskim, Niemcem Henrykiem, który w tajemniczym poselstwie przybył tu do księcia Władysława, twego królu brata. Tak zeznał diakon Marcin. Kto z obecnych potwierdzi przysięgą zeznania diakona Marcina, który już nie żyje? – Wtedy do ławy podszedł komornik królewski, Wojciech Jastrząb i rzekł: – Ja przysięgą potwierdzę! Ozwał się wtedy setnik Miręta z Dobrzynia: Namawiał mnie kapelan biskupa, żebym ja wraz z całą setką wojów uszedł z pola i jeszcze mówił, że obecny oskarżony wstawi się za mną u cesarza niemieckiego i księcia Władysława. Toteż w tym, co oskarżyciel Dobrogost podaje przeciw oskarżonemu, w tym oskarżony zawinił. – Ozwał się Dobrogost: Świadek złożył sprawną przysięgę. Co na to oskarżony? – Biskup hardo rzekł: – Niech mnie sądzi arcybiskup w Gnieźnie. Tu ozwał się król: – Ja cię sądzić będę. Nie Kościół obraziłeś, mnie obraziłeś. Ja cię na wyrok

very popular in Poland for his brilliant, witty, popular science publications, based on a deep knowledge of his subject, in his much sought after *Gazeta Tysiąclecia* (Millennium Gazette), under the heading *Report on the Judgement of Bishop Stanislaus*, gives the following account written in old Polish:

"On 11 April 1079, Bishop Stanislaus was tried for treason in the city of Cracow in the presence of King Boleslaus. [It is worth adding here that Gallus Anonymous, the monk-chronicler, while not going into details of the case, did, however, use the word *traditor* – traitor – in the literal sense referring to the bishop, S.K.]. The case of the Cracow bishop is probably the last link in the conspiracy aimed against our gracious King Boleslaus. However, many of the conspirators have not been apprehended. Sieciech, trusted confidant of Ladislaus, the king's brother, is still at liberty... Czesław Turzyna has also escaped. Although the conspiracy has been discovered, the country is in danger. It is said that the army of the Bohemian king Vratislav is approaching Cracow and the Germans are also preparing for war. Such are the consequences of the rebellion of the nobles. Bishop Stanislaus Szczepanowski of Szczepanów, now under trial, is one of the chief rebels...

"The trial was held at Wawel Hill, between the cathedral and the Church of St. Michael. Our gracious king was seated on a high stool with dignitaries on both sides of him led by voivode Dobrogost of the Jastrząb family and the comes of Łęczyca, Niegosław. When the accused was brought before the court, Dobrogost came forward and said, 'Your Majesty, our Gracious King, I have an accusation to make against the Bishop present here, who through the agency of his chaplain, deacon Martin, endeavoured to persuade your warriors, encamped in the field, to desert you and flee. I also accuse Bishop Stanislaus of conspiring against you, Your Majesty, with the Abbot of Weltenburg, the German Henry, who came here on a secret mission to Duke Ladislaus, Your Majesty's brother. This was the testimony of deacon Martin. Who of those present can

wydam z obecnymi tu komesami i żupanami. Z a w i n i ł b i s k u p S t a n i s ł a w z d r a d ą? – Cała ława wtedy odpowiedziała: – Z a w i n i ł! – Wtedy król: – Skazuję cię za zdradę na obcięcie rąk i nóg. Dobrogoście, wam go oddaję. – Tak się skończył sąd nad zdrajcą biskupem." I zostały mu dłonie oraz stopy odcięte przez urzędowego kata...

Mając zatem nad czym rozmyślać, opuszczamy przycupniętą posród wierzb wioskę Piotrawin z małym, zabytkowym kościółkiem i wkrótce, minąwszy białe, wysokie i strome ściany kamieniołomów wapiennych, stanowiących wzdłuż brzegu Wisły krawędź rozległej Wyżyny Lubelskiej, na prawym brzegu rzeki, widzimy za jej łagodnym zakrętem zielone wzgórza, a na nich jaśniejące ruiny zamku oraz wyniosłą, samotną basztę. Niżej czerwienieją dachówką i szarzeją łuskami drewnianych gontów dachy wciśniętego w wąwóz miasteczka. To przesławny Kazimierz Dolny, inaczej Kazimierzem nad Wisłą mianowany.

Czemu przesławny? O, wiele powodów się po temu zebrało!

Przyczyną najwalniejszą są rządy króla Kazimierza, zwanego Wielkim, zamykające bezdzietnie pierwszą – jeszcze z legendarnej przeszłości się wiodącą – dynastię Piastów. Jest to chyba w średniowieczu władca barwniejszy od wielu innych monarchów Europy, bowiem gdy panował nad polskimi ziemiami (od roku 1333 do 1370), był bohaterem tyluż rewelacji politycznych, niezwykle prekursorskich, ilu plotek na temat wyjątkowo bujnego życia prywatnego.

confirm, under oath, the testimony of deacon Martin now deceased?' Then the royal bailiff, Wojciech Jastrząb, came forward and said, 'I confirm his testimony under oath!' The next to speak was the centurion Mireta of Dobrzyń: 'The bishop's chaplain tried to persuade me to desert the king with all my hundred warriors and also said that the accused present here would speak for me to the German emperor and Duke Ladislaus. So the accused is guilty of the charges brought against him by the accuser Dobrogost.' Then Dobrogost spoke again: 'The witness has given true testimony. What has the accused to say?' The bishop said proudly, 'I wish to be tried by the Archbishop of Gniezno.' At this, the king said, 'I will be your judge. You have not offended the Church, you have offended me. I shall ask this jury of comeses and judges present here, to pass sentence upon you. Is Bishop Stanislaus guilty of treason?' The whole jury then answered, 'Guilty.' Then the King said, 'For treason my sentence is that your hands and feet be cut off. Dobrogost, I hand the accused over to you.' And so ended the trial of the traitor-bishop." And the state executioner duly cut off his hands and feet.

So with plenty to think about, we now leave the village of Piotrawin, with its historic little church, nestling among the willows, and soon, having passed the high, white limestone quarry walls marking the end of the Lublin Upland along the right bank, we turn slowly to see green hills and upon them the ruins of a castle and a lone tower. Below the hills are the red tiled roofs and the greyish shingle roofs of a little town in a ravine. It is the famous town of Kazimierz Dolny, otherwise known as Kazimierz-on-the-Vistula.

Why is it so famous? There are many reasons for this!

The main one is its association with King Casimir, called the Great, the last of the Piast dynasty, who died without male issue. He was probably a more colourful figure than many a European monarch of the Middle Ages, for during his rule over Polish territories from 1333 to 1370 he initiated as many precursory political moves as there were piquant stories

LONICERA CAPRIFOLIUM
HEDERA HELIX

Późniejszego o stulecie angielskiego Henryka VIII zdystansował nie tyle ilością żon, gdyż miał ich nasz król tylko pięć, ale faktem, że cztery, niemal równolegle poślubione, żyły równocześnie! Nie licząc innych dam, jakie monarsze umilały czas w tym samym okresie... Bez rozlewu krwi, tak samo, jak pokojowymi sposoby (co właśnie stanowiło w tamtych porywczych czasach wyjątkowe zjawisko) przygarniał prowincje, hołdował sobie ościennych książąt, czym wzmacniał i bogacił kraj, nie narażając poddanych na ciężary stałych wojen. Oczywiście istnienie kilku jednakowo legalnych małżonek, na co zezwala religia mahometańska, a nie chrześcijańska, którą przecież wyznawał Kazimierz, musiało wzburzać wszechwładny Kościół Rzymski, toteż król – tknięty klątwą – pokutował za swą poligamię, lecz w nader oryginalny sposób. Oto gdzie się dało wznosił na chwałę boską potężne świątynie. Bardzo potężne, wręcz silnie obwarowane, z całym rzecz jasna błogosławieństwem sfer kościelnych oraz – chciano czy nie chciano – pomocą finansową tychże wpływowych, a zarazem bardzo zasobnych kręgów ówczesnej władzy. Tak zatem powstała była długa seria... twierdz, potężnie z kamienia i cegły wzniesionych i strzegących Polski na wszystkie strony. W związku z gwałtownym ruchem budowlanym za tego króla powstało popularne porzekadło, iż Kazimierz „zastał Polskę drewnianą, a zostawił murowaną". Dodam od siebie, że zwrot ten posłużył mej żonie do zakpienia z pewnego mało rozgarniętego dziennikarza, z którym kiedyś jechaliśmy ku owemu Kazimierzowi Dolnemu pyszną aleją wysadzaną prastarymi topolami, tak już sędziwymi, że ich wypróchniałe pnie uzupełniono dla wzmocnienia potężnymi płatami cementu, a nawet połaciami muru. Żurnalista gapił się na te drzewa, aż wreszcie spytał: – „Dlaczego one takie?" – „Jakto, nie wiesz? – powiedziała żona – Bo one są z czasów Kazimierza Wielkiego, który je zastał drewniane, a zostawił murowane!"

Zaiste, wszystko niemal w tym zabytkowym miasteczku nad Wisłą zwykło się przypisywać jego patronowi i założycielowi, Kazimierzowi Wielkiemu. Nawet odwieczny dąb rozpościerający sękate konary na wzgórzu nad miastem

about his very exuberant private life. He outdistances King Henry VIII of England, who lived a century and a half later, not so much by the number of wives he had (our king only had five), but the fact that he had four wives all living at the same time, whom he married almost simultaneously! And that is not counting the other ladies with whom he wiled away pleasant hours in the same period... And all without any bloodshed, just as by peaceful methods (which was something exceptional in those swashbuckling times) he took over provinces, won the favour and allegiance of neighbouring dukes and in this way strengthened and enriched the country without exposing his subjects to the burden of constant wars. Of course, the existence of four equally legal wives, allowed by the Muslim religion but not by the Christian faith, which Casimir professed, aroused the indignation of the omnipotent Roman Catholic Church so the king – anathematized – did penance for his polygamy, though in a very original way. Wherever he could, in praise of God, he erected massive, strongly fortified churches, of course with the blessing of the church authorities and, wanted or unwanted, the final assistance of these influential and very wealthy centres of power. In this way he erected a whole series of fortresses built of stone and brick and guarding Poland on all sides. In connection with the tremendous development of building during the reign of this monarch it is said that Casimir "found a wooden Poland and left a Poland of brick." I would like to add here that this saying was referred to by my wife in making fun of a rather slow-witted journalist with whom we were going to Kazimierz one day, passing on our way into the town the beautiful avenue of old poplars, so old that their decaying hollow trunks have been strengthened with cement and even brick fillings. The journalist stared at the trees and finally asked: "Why have they done that to those trees?" And my wife said: "Oh, didn't you know? They're from the times of Casimir the Great who found wooden trees and left brick ones!"

Indeed, almost everything in this historical little town on the Vistula is generally attri-

sadzić miał – jak mówią – ten właśnie monarcha. Co prawda – powiedział pewien znawca regionu – w czasach króla Kazimierza rosła na tamtym wzniesieniu gęsta puszcza i trudno sobie wyobrazić, aby władca drapał się po stromym zboczu po to, aby w gąszczu boru wetknąć w ziemię żołądź, ale...

W każdym razie król Kazimierz istotnie do rozwoju osady się walnie przyczynił, ożywiwszy wiślany ruch transportu zboża i tu akurat w łagodnym łuku rzeki, przy łatwo dostępnym jej brzegu sytuując pierwsze potężne spichlerze i składy. Wieść niesie również, iż w pobliskiej Bochotnicy, gdzie są do dziś resztki ruin, wzno-

buted to its patron and founder, Casimir the Great. Even the ancient oak spreading its knotty branches on the hill overlooking the town is said to have been planted by this monarch. If the truth be told, said a certain expert on the region, "in the times of Casimir the Great that hill was covered with a dense forest and it is rather difficult to imagine the king climbing up that steep hill to plant an acorn in the depths of a forest, but..."

Nevertheless it is a fact that King Casimir contributed a great deal to the development of the settlement, enlivening transport of grain along the Vistula and here, in the wide bend

siła się rezydencja najsławniejszej królewskiej ulubienicy, przepięknej Żydówki Esterki, do której – powiadają – wiódł parokilometrowy podziemny korytarz z miasteczka Kazimierza, z zameczku władcy. Hm, przy tak powszechnej świadomości królewskich grzeszków, że aż Rzymu sięgały, nagła konspiracja i drałowanie pod ziemią trzech kilometrów z okładem może budzić wątpliwości.

Analogiczna historyjka o podziemnych przejściach tyczy także innego szlaku niż bochotnicki, mianowicie rzekomego (pod Wisłą jakoby idącego!) przekopu, jaki miał łączyć zamek w Kazimierzu z zamkiem na przeciwległym brzegu, w Janowcu. Janowiec, gdzie – również wieńcząc szczyt pagórka – wznoszą się ruiny starej siedziby rodu Firlejów, tym się też wyróżnia, oprócz urody okolicy i potęgi murów, że mury te do niedawna jeszcze były... własnością prywatną! Nie, nie żadnego Firleja, lecz zwykłego sobie pana Kozłowskiego, który kiedyś za niewielką sumę nabył zwaliska, kilka komnatek w nich odrestaurował i założył przedziwne muzeum-panopticum, aby się stało zaczątkiem odbudowy całego gmachu. Nie dożył tej chwili, która zresztą ciągle jest daleka, niemniej na wdzięczną zasłużył pamięć. I on właśnie pokazywał wycieczkowiczom bezdenną, na dziedzińcu zamkowym wykopaną studnię, podobno wylot owego tajemnego tunelu stanowiącą, co stało wszakże w jawnej sprzeczności z opowiadaną jednocześnie relacją, jak to wrzucona do owej otchłani kaczka (?) wypłynęła była cała i zdrowa spod wiślanej fali... Więc albo tylko do rzeki, albo pod ziemią aż do Kazimierza! Wracajmy wszakże do naszego króla. Pośród innych wiekopomnych przewag z okazji zaślubin wnuczki Elżbiety z nie byle kim, bo aż cesarzem niemiecko-czeskim Karolem IV, Kazimierz zebrał w Krakowie (na sławnej do dziś uczcie, zorganizowanej przez spolszczonego Niemca, mieszczanina, bogacza Wierzynka) cały wieniec europejskich monarchów, aż po cypryjskiego księcia. Było to swoiste „spotkanie na szczycie", tym także prekursorskie, iż forujące pokojowe, dyplomatyczne formy rozpatrywania międzynarodowych problemów. A więc przed Helsinkami i Madrytem mieliśmy Kraków-KBWE!

of the river, with convenient access to the bank, he built the first huge granaries and storehouses. It is also said that in nearby Bochotnica, where to this day one can see a few remaining ruins, there was once the residence of the most famous of the king's mistresses, the beautiful Jewess Esterka, to which – so they say – there was an underground passage several kilometres long from the ruler's castle in Kazimierz. Er, if the king's little sins were so well known that news of them had reached Rome, this sudden secrecy and digging an underground tunnel three kilometres long seems strange to say the least of it.

Similar information about underground passages concerns not the one leading to Bochotnica, but one which was allegedly dug (under the Vistula) to link the castle in Kazimierz with the castle of Janowiec on the other side of the river. Janowiec, where the ruins of the former residence of the Firlej family stand on another hilltop, is worthy of note, and not only because of the beautiful surrounding scenery and the massive walls of the ruined castle. For these walls were until recently... the private property, not of a Firlej, but of a certain Mr. Kozłowski who bought the ruins for a small sum, restored several of the castle chambers and founded a strange sort of museum, which was to be the nucleus for the future reconstruction of the whole castle. He did not live to see the day, as this is still only a future project, but he will be remembered with gratitude for what he did. It was Mr. Kozłowski who used to show sightseeing excursions the bottomless well in the castle courtyard, said to be the entrance to the mysterious tunnel that was supposed to come out in Kazimierz. But another story on the same subject, namely that a duck (?) thrown into the well emerged safe and sound from the waters of the Vistula, seems to be a contradiction of the first one... So we do not know if it only went as far as the Vistula or under the river to Kazimierz! But we have digressed from the subject of King Casimir. Among other historical accounts, one tells us that on the occasion of the wedding of his granddaughter Elizabeth to no lesser personage

Powróćmy do Kazimierza nad Wisłą vel Dolnego. Wzniesione z inicjatywy czternastowiecznego króla spichrze stały się, wespół z wydajnymi, dzięki łanom jęczmienia i plantacjom chmielu w okolicy browarami, zarodkiem wyjątkowego bogactwa miasteczka. Zwłaszcza w dobie renesansu rozrosły się tu silne rody kupców i przedsiębiorców, wykwitły urzekająco piękne, stale przyciągające tłumy turystów dzisiejszych kompleksy kamieniczek o jedynych w swym kształcie attykach, stanęły też „silosy" w formie klejnotów architektury XVI i XVII wieku. Nad gródkiem zaś czuwał – ze śnieżnego wapiennego kamienia zbudowany – zamek obronny i, na jeszcze wyższym wzniesieniu opodal, smukła, jasna baszta obserwacyjna (pono też z warownią połączona tunelem).

than Charles IV, Holy Roman Emperor and King of Bohemia, Casimir invited all the crowned heads of Europe, including the Duke of Cyprus, to Cracow. A magnificent banquet for them was organized by a wealthy burgher, the polonized German, Wierzynek, whose fame has lasted to this day. It was what we might call today a "summit meeting", precursory in that it favoured peaceful, diplomatic forms of examining international problems. Thus before Helsinki and Madrid we had in Cracow a Conference on Security and Cooperation.

Let us cross the river back to Kazimierz Dolny. The granaries that our king had built there in the 14th century, together with the rich local crops of barley and the hop plantations of the local breweries, were the source from which the town drew its great wealth. The Renaissance period in particular witnessed the growth here of a strong group of merchants and manufacturers, who built the beautiful burgher houses with their unique parapets, that today attract crowds of tourists to the town. This period also saw the erection of the "silos" that are fine examples of 16th and 17th century architecture. And standing guard above the town were the fortified castle, built of snow-white limestone, and the slender watch-tower, said to have been linked by a tunnel to the castle.

Z czasem kapryśna w swych zakosach rzeka odsunęła się od kazimierzowskiego brzegu, przyszły też wyniszczające wojny, z których najstraszliwsze zniszczenia przyniósł tzw. Potop, czyli najazd szwedzki w XVII stuleciu – i Kazimierz Dolny stał się istotnie dolnym eko-

As time passed, the river, capriciously changing its course and forming new bends, flowed farther away from Kazimierz, and later times brought destructive wars, of which the Deluge, or the Swedish invasion in the 17th century, caused the greatest devastation, and

nomicznie. Zostały budowlane wspomnienia świetności, została uroda wielkiego zielonego jaru, w jakim leży ta miejscowość, rozrosły się malownicze na zboczach sady, zagęściły drewniane, przedziwnego piękna pełne domki pod wielkimi dachami, łuską gontów krytymi. I jak to zwykle bywało, większość ludności stanowić zaczęli – przez tego samego *notabene* króla Kazimierza przygarnięci pod opiekę Polski, skądinąd prześladowaniami wypędzani w gorzką diasporę – Żydzi. Ich folklor, ich obyczajowość i obrzędowość obrosła na naszych ziemiach galerią wspaniałych synagog (kazimierzowska powstała z tegoż białego wapienia i stanowi wyjątkowy obiekt, dziś już wprawdzie nie sakralny, ale odbudowany po hitlerowskiej eksterminacji w dawnym kształcie), a rojące się barwnym, choć ubogim z reguły życiem ośrodki, nim przyszła zagłada spod znaku swastyki – stanowiły o wyglądzie mnóstwa podobnych Kazimierzowi miasteczek i osad.

Kazimierz Dolny (the name translated means Lower Kazimierz) became "lower" in the economic sense, too. The beautiful buildings remained as testimony to its former prosperity, and the beauty of the extensive, green ravine where the town grew up also remained. On its slopes, orchards were planted and more and more little timber houses of quaint charm with tall shingled roofs began to appear. And as often happened, the remaining population was mostly Jewish for in his realm Casimir gave asylum to Jews who had been scattered by persecution in other countries. Their folklore, customs and rites took root in Poland, resulting in the erection of magnificent synagogues. The Kazimierz synagogue was also built of white limestone and is an exceptionally interesting building, though it no longer serves its original religious purpose. It was destroyed by the Nazis, but has been rebuilt in its original design. These Jewish centres, though mostly poor, throbbed with colourful life and determined the character of many towns and settlements like Kazimierz, until the sign of the swastika loomed over them and brought extermination.

Kazimierz-on-the-Vistula has for many years had a specific attraction for artists with its unique atmosphere, combining something of the exotic with our own local colour. My grandfather and my father-in-law, both of them painters of earlier times, walked about Kazimierz with palette and easel. My wife's easel has been put up there many a summer, and all because of Tadeusz Pruszkowski. For it was he, as professor of the School of Art and later the Academy of Fine Arts in the 1930's, who infected his students with his ardent artist's love for that wonderful little town. He built a large house with a studio on the third hill top next to the castle and tower hills, also of white limestone, and invited literally everyone he knew in the world of painters and graphic artists. This fascination is still there, sometimes receding, sometimes surging up again, but always alive to this very day. And the fame of this "town of artists" and their "models", in other words the houses, churches, old walls and green terrace upon green terrace, attract many tourists, artists and – also very important – the snobs.

Jesteśmy świadkami specyficznej presji, jaką Kazimierz nad Wisłą od wielu lat wywierał na plastyków swoją egzotyką i swojskością zarazem, swoim niepowtarzalnym nastrojem. Mój dziadek, mój teść, obaj malarze dawniejszej epoki, oni także chadzali po Kazimierzu z paletą, moja żona rozstawiała tam sztalugi przez niejedno lato, a wszystkiemu winien był Tadeusz Pruszkowski. On to bowiem, wykładowca w Szkole (potem Akademii) Sztuk Pięknych w latach trzydziestych, zaraził swoich podopiecznych żarliwą artystyczną miłością do cudownego miasteczka. Sam pobudował – na trzecim, obok baszty i zamku, wzgórzu – potężny dom z pracownią, także z białego kamienia i zwoływał tu, co żyło w malarskim i graficznym świecie. Ta fascynacja trwa, malejąc i rosnąc, ale stale żywa, do dziś. I sława „miasta malarzy", obok ich modeli, czyli domów, kościołów, murów i piętrowej zieleni – przyciąga (z Polski i ze świata) mnogich turystów, artystów i, co wielce istotne, snobów.

Muszę przerwać, niemal siłą odciągając samego siebie od tematu „Kazimierz", inaczej bowiem napisałaby mi się opowieść wielkości co najmniej *Sagi Rodu Forsythów*, zwłaszcza że i literackie koneksje miasteczka też są ogromne, skoro tu mieszka – na zmianę z adresem w Ameryce czy Italii – wielka polska pisarka Maria Kuncewiczowa, a sama miejscowość powraca w polskiej literaturze raz po raz pod najświetniejszymi piórami.

Odrywam tedy oczy od szmaragdowo-białego, szarością drewna przetykanego Kazimierza i spoglądam w dół rzeki, wzdłuż Wisły, gdzie na horyzoncie dymią kominy kombinatu chemicznego w Puławach.

I must stop going on like this, tearing myself away with difficulty from the subject of Kazimierz, or I might find myself writing a story at least as long as *The Forsyte Saga*, all the more so as the literary connections of this town are also very extensive since the great Polish writer Maria Kuncewicz lives here, when she is not in America or Italy, and Kazimierz appears again and again in Polish literature, in the writings of our best authors.

So I tear my eyes away from the emerald and white of Kazimierz, with its greyish shingled roofs peeping through the treetops, and turn to look down the Vistula, to the smoking chimneys of the Chemical Plant at Puławy, away on the horizon.

Puławy! Ech, miły czytelniku, na dobrą sprawę z każdego chyba punktu mapy Polski wyciągnąć można bez wysiłku tak długi łańcuszek opowieści, skojarzeń, ciekawostek i rewelacji (zwłaszcza historycznych), że moglibyśmy się w tym zaplątać na amen i doszczętnie... Położone za ogromnym wirażem Wisły, co zmieniło nasz kurs z Nord na nowy: Nord-West, Puławy, to dziedzina starego rodu książąt Czartoryskich, ciągle zresztą czynnych w naszej kulturze o tyle, że np. jeden z nosicieli nazwiska, zwany księciem-profesorem, jest dziś wielkim autorytetem w nauce o dziejach polskiej wiedzy. Z końcem XVIII wieku tamtejsza pani, księżna Izabela z Flemmingów, sawantka wielka, założyła (zbudowawszy w parku równym Hyde-Parkowi szereg klasycyzujących obiektów) sławne muzeum, ściągając zarazem cały ówczesny świat twórczy, więc malarzy, poetów, pisarzy i rzeźbiarzy, by uświetnić zarówno puławską siedzibę, jak i historię sztuki polskiej, co jej się udało, a w czym ją – też szczęśliwie – naśladowała niejedna bogata dama tamtej epoki. Ale choć mi się dusza wyrywa do owych

Puławy! Yes, dear reader, one can without special effort bring to light such a long chain of stories, associations, interesting facts and disclosures (particularly historical) about almost any point on the map of Poland, that it would be easy to get entangled for ever in the meshes of one long voyage of discovery... Beyond a wide bend of the Vistula, which has changed its course from north to north-west, is Puławy, the realm of the old princely family of the Czartoryskis. To this day the family is still active in Poland's cultural life, to mention only one of the bearers of this name, known as the professor-prince, who is a great authority on the history of Polish science. At the end of the 18th century, Princess Izabela Czartoryska née Flemming, a lady of great learning, laid out a park round her residence at Puławy which was quite equal to Hyde Park and, having built a number of classical pavilions there, founded a famous historical museum. She invited famous painters, poets, sculptors and writers to Puławy, to enhance her residence and enrich the history of Polish art. She succeeded in this and her example was followed – happily – by many a wealthy lady of her times. But though my soul yearns for those

ogrodów, po których chciałbym oprowadzać godzinami, konieczność woła nas dalej, toteż tylko pobieżnie – ruszywszy dalej z biegiem Wisły – spojrzymy na dzisiejszą chlubę przemysłową miasta, wytwórnię mocznika do nawozów sztucznych. Skutkiem jej istnienia zamarło wprawdzie życie organiczne w okolicznych, niegdyś bardzo potężnych, lasach, natomiast rozrosło się niebywale samo miasto, dawniej senne, dziś wyciągnięte w szereg długich i wysokich bloków mieszkalnych na wszystkie niemal strony. Rejon ożywił się socjalnie, powstało nowe skupisko ludzkie dużego formatu. Takich ośrodków mamy obecnie i coraz więcej i coraz są większe, a że parking zaczyna górować nad parkiem, cóż, takie są rzeczy koleje i tylko, wzorem mistrza Iwaszkiewicza, częściej człowiek się zamyśla nad różnymi wspomnieniami. Być tu przeciwnym rozwojowi rozsądek nie zezwala, a do rozkoszowania się kolonią szarych bloków tak, jak starą „świątynią Sybilli", nawyk jakoś nie dopuszcza, co proszę mi łaskawie wybaczyć. Zwłaszcza, że ruszamy dalej i inne nas frapują obiekty.

Dla badaczy ciekawostek etnograficzno–architektonicznych melduję, że gdy mija się, wchodząc w łuk Wisły, czyniącej tam rozległą literę S, miejscowość Gołąb, to widać wieżyczki kościółka wzniesionego przez (prawdopodobnie) flamandzkiego architekta. Na szczegółowszy opis kościoła brak nam czasu, tak jak brak nam czasu na relację z bitwy, jaką w czasach szwedzkiego „Potopu" stoczył tu – wspomniany także w słowach naszego hymnu – wielki wojownik i wódz, Stefan Czarniecki.

gardens, where one could wander for hours, we must of necessity continue on our way with just a brief look – as we set off again down the Vistula – at the pride of the industrial town of today, the chemical plant producing urea for artificial fertilizers. True, its existence sounded the death-knell for organic life in the nearby, once dense forests surrounding it, but the town itself, once a sleepy little place, has grown out of all recognition with huge blocks of flats growing out of it in almost all directions. There has been a social enlivenment of the region and a large inflow of population. We now have more and more centres of this kind, and if car parks are more numerous than parks, well, that's modern life for you, only, like Jarosław Iwaszkiewicz, one's thoughts turn more often to reminiscences of the past. Reason tells us that it is no use going against development but if I have not become accustomed to looking at the colonies of grey blocks of flats, with the same delight as I feel on beholding the old Temple of Sibyl in Izabela Czartoryska's park, I beg to be forgiven. Especially as we are going on to see other things of interest.

As we enter the wide "S" bend of the Vistula beyond Puławy we see the spire of a little church there, which will be of interest to those seeking architectural and ethnographic curiosities, as the church was (in all probability) the work of a Flemish architect. Time does not allow of a detailed description of the church... Nor have we time to give an account of the battle fought here during the Swedish Deluge by the great soldier and commander, Hetman Stefan Czarniecki, also mentioned in the Polish national anthem.

We are now passing under the walls of the small town of Dęblin, which won commendable fame for its "School of Young Eagles", namely, the higher school of aviation. Colonel Mirosław Hermaszewski, the first Polish cosmonaut, was trained there, and his predecessors who won their wings at Dęblin's training airfield were – ho, ho! practically a whole regiment of air aces, to mention only those who have gone down in the history of sporting aviation and

Przepływamy teraz pod murami niewielkiego lecz chwalebnie wsławionego Dęblina, zwanego „szkołą orląt", siedziby uczelni lotniczej. To tu właśnie szkolił się pułkownik Mirosław Hermaszewski, pierwszy polski kosmonauta, a poprzednikami jego na dęblińskim ćwiczebnym lotnisku byli – ho, ho! niemal cały pułk asów powietrznych, gdyby liczyć tylko tych, którzy się najtrwalej zapisali w dziejach sportu

air battles. Yes, sport, for Lt. Żwirko, who with the engineer Wigura built the RDW 6 plane and won the Berlin international aviation contest in 1932, was a graduate of the Dęblin school. One may ask: why recall an aviation contest, one of many, that took place so long ago, and with such pride? But that laurel wreath awarded in competition with the greatest champions of the world to

i walk. Owszem, sportu, gdyż właśnie absolwentem Dęblina był porucznik Żwirko, wraz z inżynierem Wigurą, współbudowniczym samolotu RWD 6, zwycięzca międzynarodowych zawodów berlińskich w 1932 roku. Zdawało by się – cóż, jakieś tam dawne, jedne z wielu, konkurencje lotnicze, cóż tu wspominać, i to z dumą? Jednakże właśnie ten laur, uzyskany przed najlepszymi światowymi czempionami przez oficera „kilkuletniego lotnictwa", obywatela kraju, jakiego jeszcze 14 lat przedtem nie było na mapie, w dodatku laur zdobyty maszyną zbudowaną całkowicie przez Polaków – stanowił wydarzenie ogromnej dla nas wagi. I niemal natychmiast – głębokiej, ogólnonarodowej żałoby, wkrótce bowiem obaj, Żwirko i Wigura, zginęli śmiercią lotników w burzy nad czeskim Cierlickiem. Pamiętam tę noc, gdy ruszyli z warszawskiego aerodromu, a my – będąc wtedy na podstołecznym letnisku – słuchaliśmy komunikatów radiowych, i widzę we wspomnieniu moją matkę, klęczącą ze słuchawkami na uszach (bo tak się wtedy odbierało program), modlącą się o szczęśliwy finał lotu, gdyż o straszliwej nawałnicy wiedziano już powszechnie; finał wszakże okazał się tragiczny.

an officer of "an air force only a few years old", the citizen of a country that had not been on the map 14 years before, and added to all this won in a machine constructed entirely by Poles – this was something tremendously important for us. And then, almost immediately afterwards, the whole nation was plunged into deep mourning when both Żwirko and Wigura died the death of airmen in a storm near Cierlicko in Czechoslovakia. I can remember that night, when they took off from Warsaw's aerodrome, and we were on holiday in the country outside Warsaw. We listened to the radio communiqués and in my mind's eye I can see my mother kneeling with earphones on her head and praying for the safety of the airmen, for we had already had the news of the terrible storm. The flight ended in tragedy.

Z tego Dęblina wyfruwali niemal wszyscy bohaterowie wojny 1939-1945, rozpoczynający najpierw nierówne boje z Luftwaffe, a potem, na alianckich maszynach, gromiący hitlerowców od niemal pierwszego do ostatniego dnia wojny.

Przy stałej służbie patrolowej i bombardującej rozegrano akt najważniejszy: Bitwę o Anglię, kiedy szczególną chwałą okryli się byli „dębliniacy", zwłaszcza należący do dywizjonu 303 RAF. Potem nad pustyniami Afryki szalał niezwyciężony „cyrk Skalskiego", zestrzeliwując wrogie samoloty. I wreszcie, już pod sam koniec wojny, wzleciały (właśnie nad Wisłą i opodal Dęblina) myśliwce – z biało-czerwonymi szachownicami na brezentowych burtach, walczący u boku Armii Czerwonej lotniczy pułk „Warszawa". Na pamiątkę powołania tego pułku współczesny Dzień Lotnika obchodzony jest w rocznicę pierwszych lotów bojowych 23 sierpnia 1944 roku.

Za Dęblinem, po prawej stronie, znane nam już z opowieści o klęsce Kościuszki Maciejowice, a niebawem po lewej ujrzymy dopływ – Pilicę. Dziś rozciąga się tu „zagłębie truskawkowe", w historii jednak okolice te inną się znaczyły czerwienią, czerwienią krwi.

Almost all the heroes of the war of 1939-45 took off from the Dęblin airfield, first fighting uneven battles against the much stronger force of the Luftwaffe and later, flying allied planes, harrying the Nazis from almost the first to the last day of the war.

In the course of regular service, patrol flights and bombing operations, the most important act was played out – the Battle of Britain, in which the lads from Dęblin, particularly those of 303 squadron of the RAF, covered themselves with glory. Later, the invincible "Skalski's Circus" rampaged about in the skies over the African desert shooting down enemy planes. And finally, just before the end of the war, fighter planes with the chequered red-and-white sign supporting the advancing Red Army, flown by airmen from the Warszawa group, flew along the Vistula and over Dęblin on their way. To commemorate the formation of this group, we now celebrate Airmen's Day on the anniversary of its first operational flights on 23 August 1944.

Beyond Dęblin, on the right, is Maciejowice, already mentioned as the scene of Kościuszko's defeat, and farther on to the left we see the tributary Pilica. Today this area is an extensive "strawberry basin", but in our history it was not red with strawberries, but blood.

Rozdział 6

WARSZAWA I JEJ ŚWITA

Tu właśnie, nad Pilicą, przecięły linię Wisły, frunąc ku nieprzyjacielskim umocnieniom, samoloty pułku lotniczego „Warszawa" i bombowce pułku „Kraków", podczas gdy siły lądowe Armii Czerwonej i Wojska Polskiego uchwyciły przyczółek na lewym brzegu rzeki, pod miasteczkiem Magnuszew. W utrzymaniu, a potem rozszerzeniu tego przyczółka szczególnie ważką rolę odegrali nasi pancerniacy z 1 Brygady imienia Bohaterów Westerplatte, w której to nazwie zamykało się koło – o dziesięć już tylko miesięcy odległej od swego finału – wojny. Pierwsze bowiem strzały światowego kataklizmu padły z luf hitlerowskiego pancernika „Schleswig-Holstein" właśnie na obrońców placówki Westerplatte, obsadzonej polską załogą u wrót spornego wówczas, w 1939 roku, Gdańska. W Gdańsku, mającym wedle umów międzynarodowych podlegać podwójnej administracji, siłą wzięły górę żywioły niemieckiego faszyzmu, i tam też, bohaterską obroną Westerplatte oraz Poczty Gdańskiej Polacy rozpoczęli swoją sześcioletnią bez mała walkę.

Kiedy zaś czołgi brygady składającej swoją nazwą hołd pierwszym bojownikom tej wojny chwytały pod gąsienice ziemię przyczółka magnuszewskiego, w Warszawie wybuchło powstanie, jakiemu chłodny rachunek sił nie rokował bojów dłuższych niż kilkudniowe, lecz które przetrwało w straszliwym ogniu, głodzie i heroicznych wysiłkach całej ludności stolicy dwa miesiące, sześćdziesiąt trzy dni!

Chapter 6

WARSAW AND HER RETINUE

Just here, over the Pilica, the aircraft of the Warszawa group and the bombers of the Kraków group of the Polish air force crossed the Vistula flying towards the enemy fortifications, while the land forces of the Red Army and the Polish Army established a bridgehead on the left bank of the river, near the little town of Magnuszew. In holding and later enlarging this bridgehead, a particularly important part was played by the tanks of the First Brigade named after the Heroes of Westerplatte. This name had a special meaning, a sort of closing of the circle – the end of the war that was only ten months away. For the first shots of the world cataclysm were fired from the guns of the Nazi warship *Schleswig-Holstein* at the defenders of the outpost Westerplatte manned by Polish soldiers, situated at the entrance to Gdańsk, which was the bone of contention in 1939. In Gdańsk, which – according to international agreements – was to be under joint administration, the German Nazi element gained predominance by force and it was there, with the heroic defence of Westerplatte and Gdańsk's Polish Post Office, that the Poles began the struggle that was to least nearly six years.

And as the caterpillar tracks of the tanks manned by the soldiers of the First Brigade, named after those first combatants of the war, got a grip on the earth of the Magnuszew bridgehead, in Warsaw the people rose against the enemy. The Warsaw Uprising, which according to a cool estimate could not last more than a few days, continued in the terrible fire of heated battle and the heroic efforts of the whole population of the capital despite hunger and hardships for two months, sixty three days!

Monograf bitwy na przypilickim przyczółku, pułkownik Janusz Przymanowski zwraca uwagę w swojej książce o starciu pod Studziankami (tak się zwie wieś w centrum terenu, pierwsza wieś, którą wyzwolili żołnierze polscy i wokół której odnosili zwycięstwa nad żelaznymi formacjami wroga) na fakt, iż bitwa ta stała się manewrem o tyle pomocnym powstaniu, że wiązała potężne, ciężkozbrojne formacje nieprzyjaciela. Bez tych bojów u ujścia Pilicy i wśród studziankowskich lasów ruszyłyby niechybnie przeciw powstańcom szczególnie groźne jednostki pancerne i artyleryjskie.

Dziś we wsi Studzianki, której przydano herb* (a to jest tylko przywilejem miast!) oraz przydomek „Pancerne" – stoi polski czołg z owej bitwy, jest mauzoleum poległych tam żołnierzy, wycieczki krajoznawcze mają tę miejscowość wpisaną w swoje szlaki.

Pilica zaś, opodal której zmagały się siły pancerne 1944 roku, znała już od dawna i dobrze huk bitewny, że wspomnę choćby jedną batalię, tę z czasów „Potopu", gdy pod pobliskim miasteczkiem Warką odniósł błyskotliwe zwycięstwo – wspomniany już – Stefan Czarniecki. Obsadził on mianowicie piechotą most nad Pilicą, a sam z zastępami niezrównanej jazdy odszedł wzdłuż brzegu rzeki i tam znienacka rzucił wszystkie konne siły w wodę, gdy zaś błyskawicznie przepłynęły Pilicę w poprzek, nastąpił absolutnie zaskakujący przeciwnika potężny atak Czarnieckiego z flanki!

Zostawiwszy za sobą wspomnienia rozmaitych dymów bitewnych, spływamy rozległym i powolnym nurtem Wisły dalej, widząc po lewej ręce cztery wyniosłe wieże kilkusetletniego zamczyska w Czersku. To tu była ongiś siedziba możnych i silnych książąt mazowieckich, udzielnych – nie zawsze posłusznych krakowskim królom i samowładnie panujących przez liczne wieki ambitnych panów tej centralnej, płaskiej krainy – Mazowsza.

Mimo parokrotnych aliansów, zhołdowań – jak np. za Kazimierza Wielkiego – i wspólnoty przeciw zewnętrznym wrogom, samodzielności władców mazowieckich dała radę

* Mam honor być jego projektantem

Colonel Janusz Przymanowski, author of a monograph on the battle for the Magnuszew bridgehead, draws attention in his book on the battle near Studzianki (the name of the first village in the centre of the area to be liberated by Polish soldiers, round which a fierce battle raged ending in victory for the Poles over the armoured formations of the enemy) to the fact that this battle was of some assistance to the Uprising inasmuch as it engaged powerful, heavily armed enemy formations. If it had not been for the battles fought at the mouth of the Pilica and in the forests round Studzianki, these very menacing armoured and artillery units would most certainly have marched on Warsaw against the insurgents.

Today in the village of Studzianki, which was given a coat-of-arms* (a privilege reserved exclusively for towns) and the cognomen Pancerne (meaning "armoured"), stands a Polish tank that took part in the battle in memory of the soldiers who lost their lives there. Studzianki is also on the itinerary of Polish tourist excursions.

And the River Pilica, beside which the armoured units fought in 1944, also witnessed clashes of arms in the past, to mention only one battle fought during the Swedish Deluge, when a brilliant victory was won outside the nearby town of Warka by Stefan Czarniecki, of whom there has already been mention. He manned the bridge over the Pilica with infantry and, leading his unrivalled cavalrymen, went farther along the river bank, crossed the river at lightning speed, and launched a completely unexpected flank attack on the enemy.

Leaving behind us these reminiscences of past battles, we continue on our way down the wide, slow-flowing Vistula and here, on our left, we see the four tall towers of the centuries-old castle of Czersk. It was once the seat of the wealthy and powerful Mazovian sovereign princes – not always obedient to the kings in Cracow and ruling autocratically for many centuries – the ambitious overlords of this flat central area, Mazowsze (Mazovia). In spite of several alliances, oaths of alle-

* Which I had the honour of designing.

dopiero Wisła, zacząwszy się w XIV wieku odsuwać od Czerska. Pozbawiała go tym samym dotychczasowych wygodnych kontaktów i korzyści płynących – dosłownie: płynących! – z łatwego transportu. W końcu kres potędze Mazowsza położyła królowa Bona, żona Zygmunta Starego (który, jak pamiętamy, ufundował z armat najpotężniejszy dzwon swego imienia), Włoszka z rodu Sforzów o herbie zawierającym węża pożerającego dziecko. Nie lubiano jej w Polsce, choć niejedno umiała tu przenieść z osiągnięć italskiego Renesansu, ale do dziś uparta ludowa plotka głosi, że właśnie sposobem ówczesnych Borgiów i innych przebiegłych rodaków otruła po prostu dwu ostatnich książąt mazowieckich... Wiadomo tylko na pewno, że bardzo lubiła mieszkać w ich czerskim zamku, gdy pyszny, z czerwonego marmuru nagrobek owych panów znalazł się w warszawskiej katedrze, gdzie do dziś można ich postaci w bogatych zbrojach podziwiać.

Zanim podpłyniemy pod mury samej Warszawy, zróbmy niewielką wycieczkę na lewy brzeg rzeki, niegdyś zresztą sunącej tam, dokąd teraz trzeba przejść między bagienkami i rozlewiskami. Zajrzyjmy do sławnego Wilanowa, chętnie goszczącego przybywające obecnie do nas głowy państw. Sam barokowy pałac o wyjątkowo harmonijnej sylwecie i przepysznych salach, otoczony świetnym ogrodem, zbudował jako nową siedzibę (zwąc ją Villa Nova, skąd miano Wilanów) z końcem XVII w. król Jan III Sobieski. Zbudował dla

giance – for example, during the reign of Casimir the Great – and unity in the face of external enemies, the independence of the Mazovian rulers only gave way in the end to the Vistula, which in the 14th century began to change its course, moving away from Czersk, thus depriving it of the convenient contacts and advantages flowing – literally – from easy transport. In the end it was Queen Bona, wife of Sigismund the Old (who, you will remember, had a bell cast and named after him from the metal gained from captured guns) who brought the powerful Mazovia to its knees. Italian born Bona of the Sforza family, whose coat-of-arms shows a serpent devouring a child. She was not liked in Poland, although she brought with her many of the achievements of the Italian Renaissance and to this day a persistent folk story upholds the rumour that, using the methods employed by the Borgias and other scheming fellow-countrymen, she simply poisoned the last two princes of Mazovia... We only know for certain that she was very fond of staying in their castle at Czersk. The gorgeous tomb of the princes fashioned in red marble appeared in the Warsaw cathedral, where to this day one can admire their effigies in rich suits of armour.

Before we come to the walls of Warsaw rising over the river, let us make a small excursion from the left bank of the river (which at one time flowed by the place we shall visit that is now only reached from the river picking one's way through marshes and overflow arms) to take a look at the famous Wilanów Palace, which today serves as a residence

ukochanej żony, Marii Kazimiery z d'Arquienów, którą się popularnie określa jako Marysieńkę – bo tak się do niej całe życie zakochany niby romantyczny młodzian zwracał ów potężny, jowialny wojownik o sumiastych wąsiskach i czułym sercu. „Sobieski wódz i król – powiada monograf korespondencji monarszej, tenże sam wszechstronny Boy-Żeleński – wyrządził krzywdę Sobieskiemu pisarzowi... Gdyby był prywatną osobą, listy jego do Marysieńki wystarczyłyby, aby mu zapewnić kartę w historii literatury".

Ów, jak go od rozgromienia armii tureckiej pod Wiedniem w 1683 roku nazywano: „Zbawca Europy", potężny rycerz, który miał pióro lekkości łabędziej, uznawany jest za ostatniego z wielkich monarchów Polski. Po nim bowiem wybierano na tron Polski, pod rozmaitymi i coraz wyraźniej ku zgubie prowadzącymi naciskami państw ościennych, władców niezdolnych do wzniesienia potężnego miecza Rzeczypospolitej. A więc dwu elektorów saskich, Augustów, przy czym za rządów starszego król Szwecji potrafił przeforsować kandydaturę na króla Stanisława Leszczyńskiego, czym jeszcze silniej pogłębiony został zamęt i wewnętrzne rozdarcie kraju. Nie byłby zresztą Leszczyński może złym panem tej ziemi, skoro jeszcze na starość, jako teść Ludwika XV panował dobrotliwie, godnie i owocnie w Lotaryngii, gdzie pozostawił po sobie dobrą pamięć jako *le bon roi Stanislas*... Ostatnim był król Stanisław August Poniatowski, władca tragiczny, który nie umiejąc przeciwstawić się militarnie i politycznie wrogim siłom, rozszarpującym kraj, pozostawił po sobie pamięć wybitnego mecenasa sztuk i siewcy nauki.

for heads of state visiting Poland. The Baroque palace with its exceptional harmony of line and sumptuous chambers, surrounded by beautiful gardens, was built as a new residence (called the Villa Nova, hence the name Wilanów) by King John Sobieski at the end of the 17th century. He built it for his beloved wife, Marie Casimire, daughter of the Marquis d'Arquien, who was popularly known in Poland as Marysieńka, for this was the pet name given her by the powerful, jovial warrior of the flowing moustaches and tender heart, who, like a romantic youth, remained deeply in love with his queen to the end of his days. "Sobieski, commander and king," we read in the monograph on the monarch's letters by the versatile Boy-Żeleński, "eclipsed Sobieski the writer... If he had been a private person, his letters to Marysieńka would have been enough to ensure him a page in the history of literature."

That "deliverer of Europe", as he was called after he had routed the Turkish army in the battle of Vienna, that powerful knight whose pen was as light as swansdown, is regarded as the last of Poland's great monarchs. For he was followed by rulers elected to the Polish throne under pressure of various kinds from neighbouring states, clearly leading to Poland's ruin, rulers incapable of raising the powerful sword in defence of the Commonwealth. Thus we had the Saxon electors Augustus II and Augustus III. However, during the reign of Augustus II, the Swedish king forced through his abdication in favour of Stanislaus Leszczyński, which led to even more confusion and internal conflict in the country. Perhaps in other circumstances Leszczyński would not have been a bad ruler, since in his old age as the father-in-law of Louis XV he ruled the Duchy of Lorraine with kindness and dignity, a fruitful reign which won him the name of *le bon roi Stanislas*... Then came the last elected king of Poland, Stanislaus Augustus Poniatowski, a tragic ruler who lacked the ability to oppose the military and political forces rending the country apart, but who will be remembered as a great sponsor of the arts and promoter of learning.

Z jego właśnie nauk, z jego czasów, gdy kruszyła się polska państwowość, lecz wzrastała i krzepła polska myśl społeczna, wynikła najpierw Konstytucja szczególnie postępowa, demokratyczna (lecz już nie zrealizowana), a potem najistotniejsza myśl patriotyczna, która pozwoliła narodowi przetrwać w jedności stulecie potrójnej niewoli. Myśl ta zawiera się w pierwszych słowach naszego hymnu *Jeszcze Polska nie zginęła, póki my żyjemy,* i pieśń owa, napisana przez byłego posła sejmowego, przyjaciela Kościuszki, Józefa Wybickiego, prowadziła wszystkich, którzy walczyli o niepodległość, osiągniętą aż w roku 1918.

Wilanów, któryśmy minęli, niegdyś daleka od stolicy miejscowość, jest dziś właściwie jedną z dzielnic rozrastającej się Warszawy. Oto wpływamy w jej granice, a złocące się płaskie, piaszczyste łachy, teraz tylko służące za lądowiska stadom rybitw, jeszcze nie tak dawno, bo przed trzydziestu kilku laty wstrząsane były eksplozjami pocisków, gdy po raz drugi w ostatniej wojnie stolica płonęła walkami. Kiedy w lecie 1944 roku rozległa fala atakującej Armii Czerwonej i sprzymierzonego z nią Wojska Polskiego szła potężnym impetem, zwyciężając od dalekiego Stalingradu aż na nasze ziemie, kiedy zbliżała się do linii Wisły, wtedy na lewym brzegu rzeki, w śródmieściu stolicy, wybuchło 1 sierpnia powstanie warszawskie. Front wszakże – z wyjątkiem przyczółka pod Magnuszewem – Studziankami i pod Sandomierzem – zatrzymał się na pół roku, rozciągnięty wzdłuż rzeki. Do śródmieścia docierały jedynie pociski artyleryjskie zza Wisły, czasem przemykały (zrzucając broń i leki) trudno uchwytne lekkie dwupłatowce radzieckie z Polakami u steru, z odległych zaś Włoch, z dalekiej bazy w Brindisi odbywały wahadłowe, wyjątkowo niebezpieczne na tej trasie loty maszyny bombowo-transportowe, aby zaopatrywać powstańców w sprzęt i wszelką inną możliwą pomoc rzeczową. Była to jednak kropla w morzu potrzeb bojowych i cały ciężar walki spoczywał, aż do ostatniej chwili heroicznego dwumiesięcznego zrywu, na barkach warszawiaków, gdzie każdy cywil był

In the times when Polish statehood was crumbling, but social thought was growing and consolidating in Poland, his scholarly interests led first of all to the adoption of a particularly progressive, democratic Constitution (which was not, however, put into practice) and later to the most important patriotic idea that enabled the nation to keep its unity during the century and a half of triple oppression. This idea is expressed in the first words of our national anthem *While we live she is existing, Poland is not fallen**, and this song written by a former Seym deputy and friend of Kościuszko, Józef Wybicki, was on the lips of all who fought for independence, the independence that was finally achieved in the year 1918.

Wilanów, now behind us, once a place quite a distance from the capital, is today becoming one of the urban districts of quickly expanding Warsaw. Passing the city boundaries we look at the golden sands, the sandbanks that now serve as a landing ground for terns, which thirty odd years ago were shaken by exploding shells, when the capital was enveloped in the fire of battle for the second time during the Second World War. When, in the summer of 1944, the wide wave of the attacking Red Army and the Polish Army fighting at its side gathered impetus, winning victories from distant Stalingrad to Polish territories, when it was approaching the Vistula line, the Warsaw Uprising started on 1 August, on the left bank of the river, in the city centre. The front, however, with the exception of the Magnuszew-Studzianki bridgehead, remained stretched out along the opposite bank of the river for six months. All that reached the city centre were shells fired from the other side of the Vistula and sometimes light and elusive Soviet biplanes manned by Polish crews, which managed to get through and drop arms and medicines, while from distant Italy transport bombers made flights backwards and forwards on the very dangerous route from the base at Brindisi to Warsaw to drop supplies of all kinds needed by the insur-

* From translation by Paul Soboleski.

żołnierzem, a każdy dom redutą. Niewielka i zdeterminowana jednostka polska próbowała z prawego brzegu pójść z pomocą walczącym, dotarła nawet na bulwary po przeciwnej, płonącej stronie, lecz została zmasakrowana niemal doszczętnie; dziś widzimy w tym miejscu, gdzie ruiny gęstej niegdyś zabudowy zastąpił rozległy park, ogromny pomnik i pamiątkową płytę z marmuru, monument ku czci saperów (którzy z czasem rozminowali miasto) i tablicę ku czci straceńców zza rzeki.

Hitler, świadom od pierwszej chwili, że kręgosłupem istnienia narodów są ich tradycje i kultura, przystąpił już w pierwszym dniu agresji do systematycznego wyniszczenia uczonych, artystów, myślicieli i wszelkich ośrodków oświaty, unicestwiając także maksimum zabytków, bibliotek, zbiorów i muzeów. Po upadku zaś powstania z jednaką metodycznością, rękami specjalnych oddziałów Brandkommando druzgotano do końca to wszystko, czego nie zniszczyły same walki. Z Warszawy miała zostać pustynia, taka sama, jaka rozpostarła się już wcześniej w centrum miasta, gdzie nie pozostał kamień na kamieniu z żydowskiego Getta, które w 1943 roku podniosło broń przeciw okupantowi i zmieniło zapadły wcześniej wyrok śmierci na heroiczną śmierć w ogniu straceńczej walki.

gents. But this was only a drop in the ocean of the insurgents' needs and the whole burden of the fighting was borne to the last moment of this heroic two months' struggle by the Varsovians. Every civilian became a soldier and every house a redoubt. A small and determined Polish unit tried to get across from the right bank to help the insurgents and even succeeded in reaching the embankment on the opposite, fire-enveloped side. But a massacre ensued and the unit was wiped out almost to a man. Today on the site where they perished, in the large park that has been laid out in place of the ruins of once densely built up area, there is a huge monument and marble memorial tablet. The monument is a tribute to the sappers who later cleared the city of mines and the tablet commemorates the men who made that desperate attempt to come to the aid of fighting Warsaw.

Hitler, who knew from the start that the backbone of a nation's existence are its traditions and culture, from the very first days of the war carried out a systematic campaign to destroy Poland's scholars, artists, thinkers and all centres of education, as well as the maximum number of historic buildings, libraries, art collections and museums. When the Warsaw insurgents were finally forced to give up the struggle, special detachments of the *Brandkommando* went to work in the same methodical way to destroy everything that had not been reduced to ruins by the fighting. Warsaw was to become a desert of rubble, like the Jewish Ghetto in the city centre that had been razed to the ground in 1943, when its inhabitants rose in arms against the invader and changed the death sentence passed on them earlier to that of heroic death in the fire of battle, in a desperate fight to the last man.

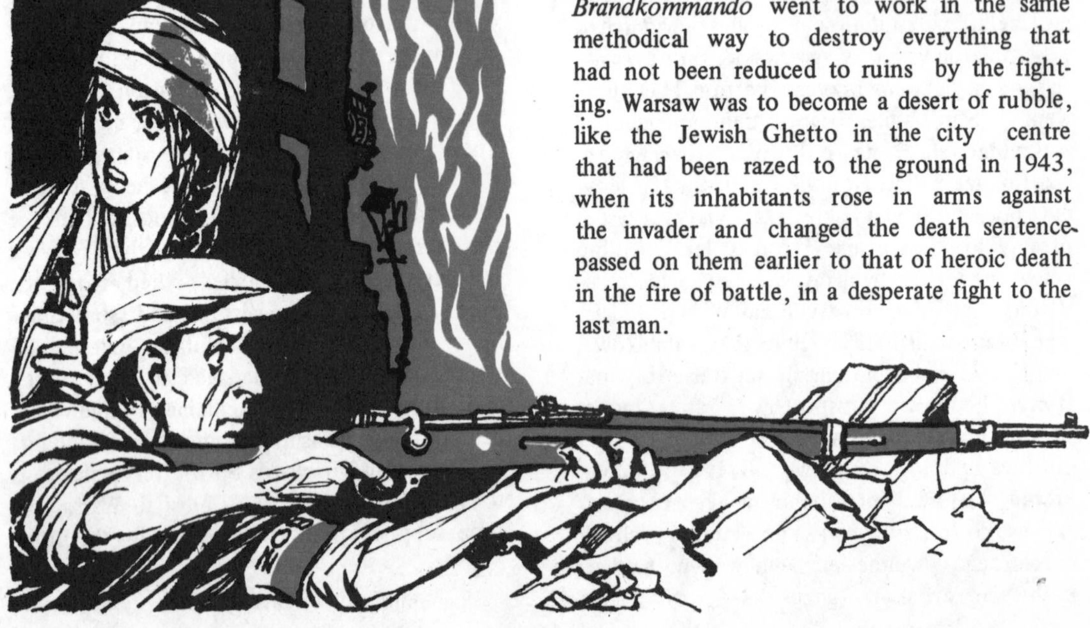

Zapadło się tedy wszystko, co stanowiło o wspaniałości i dawnej chwale Warszawy, poszły w gruzy, lub tylko sterczały osmalonymi resztkami ruin niegdysiejsze pałace, kościoły, mury obronne i ozdobne, kolekcje zabytków, wraz z całymi wypalonymi dzielnicami mieszkań. Ludność zaś wypędzono w c a ł o ś c i na tułaczkę. Lecz już pierwszego dnia, 17 stycznia 1945 roku razem z biegnącymi do ataku żołnierzami, ruszyli, niosąc nędzarski dobytek, pierwsi wracający do gruzów i zwalisk.

Na użytek zagranicznych przyjaciół, jakich nie raz dziś oprowadzam ochotniczo po rodzinnym mieście, powtarzam zawsze tę samą formułkę: wyobraźcie sobie oto, że po ulicy idzie dwu zwykłych ludzi; cóż za banalny widok! Owszem, najnormalniejsze to zjawisko, jednak gdy dowiemy się, że jeden z nich przed niedługim czasem prawie nie istniał, był śmiertelnie chory i nic nie wróżyło powrotu do zdrowia, a oto maszeruje swobodnym krokiem – o, wówczas spojrzymy nań inaczej. Tak samo jest z Warszawą, w której wy, przybysze z dalekiego kraju lub niedalekiej daty urodzenia, oglądacie rzeczy absolutnie normalne i banalne: zwykłe mosty, domy jak wszędzie, trasy komunikacyjne ani lepsze ani gorsze niż gdzie indziej, zabytkowe gmachy równie banalne, jak w każ-

We lost everything then which signified the former splendour and glory of Warsaw, everything was in ruins; here and there the fire-blackened remains of old palaces, churches, defence walls and ornamental walls rose like ghosts amid the rubble, historic collections went up in smoke with whole burnt out residential districts. And the people, *all of them*, were driven out of the city, refugees doomed to seek a place to lay their heads. But on the very first day of liberation, on 17 January 1945, the soldiers running into the attack were accompanied by the first Varsovians making their way back to their city, carrying their pathetic little bundles of belongings.

When I am taking my foreign friends round my city today, I always say the same thing to them: Try to imagine two ordinary people walking along the street; a sight you can see anywhere, any day! Yes, something quite normal, but when we learn that one of them was hovering on the brink of death for a short time, that he had been mortally ill and all hopes of his recovering had been abandoned, and now we see him walking along the street as though nothing had happened, then we look at him in a different way. It is the same with Warsaw. You have come from a distant land, or you were born long after the war

dej metropolii pełnej gotyku, baroku i innych rokoków, słowem mijacie powszedni zestaw turystyczny; zdajcie sobie sprawę z tego, że cała ta panorama nie istniała w ogóle! Że powstała z niczego, w najlepszym wypadku... z osmalonych resztek i rozsypanych odłamków muru.

A więc to wszystko (powie ktoś) jest czymś w rodzaju dekoracji, makiety i atrapy w miejsce autentyku? Po trosze tak, odpowiemy, lecz makieta ta w dziwnej i specjalnej powstała sytuacji, wbrew zresztą ustalonym przez międzynarodowe instancje, opiekujące się zabytkami świata, normom i przepisom. Zanim jeszcze owe przepisy definitywnie po ostatniej wojnie ustalono, i których się powszechnie przestrzega, odczekano czas jakiś, taki akurat, by zdążyła powstać na nowo Warszawa, Rouen i kilka jeszcze ośrodków, zniszczonych nie tylko samą wojną, ale unicestwianych z dodatkowym rozmysłem hitlerowskim: aby przekreślić historię, dokument dziejów danego miejsca. Była to zatem nie tylko materialna rekonstrukcja kamiennych i ceglanych brył na wzór zburzonych zabytków, ale – co najważniejsze! – rzeczowy, konkretny protest przeciw szczególnemu ludobójstwu, przeciw morderstwu przeszłości ludzkiej.

and here you are looking at an absolutely normal urban landscape: ordinary bridges, blocks of flats, houses much the same as anywhere else, thoroughfares no better and no worse than elsewhere, historic buildings such as one sees in every metropolis, Gothic, Baroque, Rococo or in other words the usual tourist sights. Do you realize that all this just didn't exist?! That it grew up from nothing at all, or at the best from burnt out ruins and scattered bits of walls.

So all this – somebody might say – is a sort of stage set, models and dummies instead of the real thing, am I right? In a way, yes, we would answer, but these models were made in a strange and special situation, despite all the norms and regulations established by international bodies engaged in protecting the historic monuments of the world. But before all those norms which are generally observed were definitely established after the last war, just enough time was allowed for Warsaw, Rouen and several other cities to be rebuilt, cities destroyed not only by the war itself, but deliberately demolished by the Nazis so as to erase evidence of the history of a given place. So it was not just the material reconstruction of brick and stone buildings exactly resembling the destroyed originals, but what is most important, a tangible, concrete protest against a specific kind of genocide – against the annihilation of the human past.

Zwykły szary człowiek, wycieńczony wojną nie rozumiał się zresztą na tych wysublimowanych niuansach intelektualnych, on – głodując i marznąc – z samego instynktu samozachowawczego zbiorowości wznosi na powrót zwalone ściany, by stały jak niegdyś. W Warszawie właśnie, właśnie w mieście powszechnej biedy osobistej, naturalnym odruchem społecznym stało się (jakże kosztowne!) odtworzenie Starego Miasta, wrócenie mu – cóż za luksus – wyszukanej formy renesansowej, gotyckiej, barokowej i klasycystycznej, pieczołowite wymuskanie złoconych fasad, kunsztownych zaułków, malatur i barwnych tynków, podcieni i zakamarków. Tym kamieniczkom i wieżyczkom nadano walor, być może, większy niż walor autentyku, nadano bowiem rangę pierwszeństwa w odzyskaniu życia po kataklizmie.

I wrócił, zwalony przedtem specjalnym ładunkiem wybuchowym przez Brandkommando, na swoją kolumnę (jak dawna wytoczoną z krajowego marmuru) ten sam symboliczny dla Warszawy król Zygmunt III Waza. Zanim się tam znalazł na powrót, stał w ocalałym pawilonie Muzeum Narodowego (pogłaskałem monarchę po dziurawym od kul, spiżowym kolanie wiedząc, że następna taka okazja ani mnie, ani nikomu się już nie trafi...), przedtem zaś, gdy jeszcze – bez swego krzyża i szabli – leżał ciężko na bruku, stała u jego głowy honorowa wojskowa warta.

The ordinary man in the street, exhausted and emaciated by the war, certainly did not bother his head about such exalted, intellectual shades of meaning, but hungry and cold, led by the instinct of self-preservation, went to work with other Varsovians to build the broken walls again, to make Warsaw what it had been before. And in this Warsaw, in this city where everyone was living at poverty level, there was a natural social reaction – to rebuild (and at what expense!) the Old Town, to restore (what luxury!) its fine Renaissance, Gothic, Baroque and Classicist forms, painstakingly recreating gilded façades, quaint alleys, wall paintings and coloured houses and towers which were perhaps given a value greater than that of being authentic, for they were put first in the process of coming back to life after the cataclysm.

And King Sigismund III Vasa returned to stand as a symbol upon his column (made as of old from Polish marble), though the *Brandkommando* had destroyed it with a special explosive charge. Before he was raised upon his column again he stood in a pavilion of the National Museum that had escaped destruction (I stroked the monarch's bronze knee, spattered with bullet holes, knowing that neither I nor anyone else would ever have the chance again) and before this, when he lay without cross and sword upon the cobblestones, a military guard of honour was mounted at his head.

Oryginalnością zaś owej odbudowy Starego Miasta i jego pobliża było to, że dokumentacją służył... pewien Włoch z XVIII wieku – Bernardo Belotto zwany Canalettem, który zakochał się był niegdyś w naszym mieście i dla ostatniego z królów, Stanisława Augusta Poniatowskiego, mecenasa wszelkich muz, wykonał (uchronioną na szczęście przed zagładą i rabunkiem) świetną galerię wedutową, widoki stolicy, z drobiazgową sumiennością dawnych mistrzów. Wedle tych właśnie płócien powstawały od nowa przepyszne frontony, urzekające perspektywy ulic i inne cuda architektury municypalnej.

Nie jeden Canaletto stał się patriotą Warszawy. Tak samo wżył się w to miasto Francuz Piotr Norblin, równy chyba Boucherowi malarz osiemnastowiecznych uroków, pupilek puławskiej księżnej, ongiś ozdoba salonów, dziś najcenniejszych sal wystawowych. Tak samo tworzyli u nas i dla nas Samuel Bogumił Zug, architekt najwyższej klasy, autor licznych pałaców, i Tylman z Gameren (co sobie zgoła nazwisko na polskie, Gamerski, przerobił), Kamsetzer – również budowniczy, oraz inni artyści obcej krwi, lecz warszawskiego serca, Merlini, Bacciarelli (nadworny portrecista najjaśniejszego pana), Le Brun, Pinck, Vogel (pieszczotliwie Ptaszkiem nazwany), Plersch od plafonów, ogrodnik Schuch i wielu, wielu podobnych swymi sentymenty. Tak też po warszawskim bruku krążył wielki uczony szwedzko-niemieckiej nacji, ale polskiej racji, Samuel Bogumił Linde, do końca życia kiepsko mówiący po polsku, ale za to autor pomnikowego, wciąż nieprześcignionego dzieła: *Słownika Języka Polskiego!* A ileż to rodów pochodzących zza granicy tu na stałe zapuściło korzenie? Z Fuggerów powstała warszawska rodzina Fukierów (chlubię się powinowactwem z nimi), wzrosła także familia Blikle (najlepsze dziś pączki świata!), Lilpopów, Rau'ów i Loewensteinów klany przemysłowe, Kronenbergowie, Brunowie, ech! – na wołowej, jak to się powiada, skórze nie spisać by tych świetnych w naszej stołecznej historii, a gdzie indziej przecie powstałych nazwisk! A jeszcze Wedel, król czekolady i jego konkurent Fuchs! Niemcy, Szwajcaria, Francja, Włochy, dzie-

An interesting fact about the reconstruction of the Old Town and its surroundings is that the "documentation" used for it was provided by a certain Italian who lived in the 18th century, Bernardo Bellotto, called Canaletto, who fell in love with our city and painted a fine gallery of views of Warsaw for the last of the Polish kings, Stanislaus Augustus Poniatowski. His paintings – which happily escaped destruction and theft – are executed with the painstaking care for detail characteristic of the old masters, and it was these canvases that served as a basis for the reconstruction of magnificent façades, streets of enchanting perspective and other marvels of municipal architecture.

Canaletto was not the only foreigner to become a patriot of Warsaw. Another man who adopted the city as his own was the French painter Jean Pierre Norblin, probably on a par with Boucher as an immortalizer of the charms of the 18th century. A favourite of Princess Izabela of Puławy, his works once enhanced salons and today hang in the best galleries. Samuel Zug, a first-class architect, designer of numerous palaces, Tylman of Gameren, who polonized his name, calling himself Gamerski, and Kamsetzer, also an architect, all worked in Poland and for Poland, as did other artists of foreign blood who had lost their hearts to Warsaw, to mention Merlini, Bacciarelli (court portrait painter by royal appointment), Le Brun, Pinck and Vogel (affectionately called Birdie by the Varsovians), Plersch who specialized in plafonds, Schuch who laid out gardens, and many others with similar sentiments. The streets of Warsaw were trodden by Samuel Linde, of Swedish-German origin, but a Pole by choice, a great scholar who, though he never learned to speak Polish correctly to the end of his life, was the author of a monumental work that remains unrivalled to this day – *Słownik Języka Polskiego* (Dictionary of the Polish Language)! And how many foreign families settled and took root in Polish soil? From the Fugger family we have the Warsaw family of Fukier (I take pride in being related to them) and there is the Blikle family (whose doughnuts are the best in the world!), the

siątki krain i źródeł zasilało zawsze gród nadwiślański.

O ile Kraków, ustąpiwszy stołeczności Warszawie (choć pozostawił sobie koronę nad herbem i określenie „stołeczne miasto"), panował w czasie zaborów nad Polską jako ośrodek kultury i kultu narodowego, o tyle Warszawa – choć w ramach imperium miała być jedynie prowincjonalnym centrum „kraju nadwiślańskiego" – wiodła prym w kwestiach politycznych, stanowiła ognisko patriotycznych, buntowniczych ruchów. Tu rodziły się zasadnicze zrywy, bo nawet gdy Kościuszko w Krakowie ogłosił akt powstania, lud Warszawy pod wodzą tutejszego szewca, Jana Kilińskiego (mianowanego potem przez Kościuszkę pułkownikiem) i wojsko polskie rozbiły silny garnizon rosyjski i wyzwoliły stolicę. Nie minęło lat czterdzieści od uwięzienia Kilińskiego w carskim Petersburgu, gdy warszawscy patrioci wzniecili nowe, ponad rok trwające powstanie, od daty wybuchu zwane Listopadowym, tak jak w następnym pokoleniu (również powzięte po represjach i rozruchach warszawskich) zaczęło się Styczniowe. I tu wreszcie, innego listopadowego dnia, w 1918 roku, nastąpiło ogłoszenie niepodległości Polski po przeszło wiekowej niewoli.

A Wisła? Ta, której wizerunek pędzla Canaletta może czytelnik podziwiać na okładce książki – Wisła po staremu pełniła swoje obowiązki, łączyła kraj w poprzek obcych kordonów.

Po cytowanym tu kongresie wiedeńskim (czyli po klęsce Napoleona, który nam dał kawałek niepodległego kraju: Księstwo Warszawskie) powstał szczególny twór polityczny, mający swój ośrodek w Warszawie właśnie, nazywający się szumnie Królestwem Polskim, a obejmując kilka centralnych dzielnic kraju. Faktycznym władcą, który zresztą pompatycznie ukoronował się na podwarszawskich błoniach na króla polskiego, pozostawał car Wszechrosji, czyniąc początkowo pozorne nadzieje na liberalizację rządów. Do czasu jedynie, niemniej lokalne władze, używając tych pozorów samostanowienia, jakie pozostawały, jęły przynajmniej krzątać się wokół poprawy gospodarki narodo-

Lilpops, Raus and Loewensteins, all industrial clans, the Kronenbergs, Bruns... Ah, it's an endless list of people who are part of the history of our capital but whose names are of foreign origin. Oh, and there was Wedel the Chocolate King and the rival firm of Fuchs! Germans, Swiss, Frenchmen, Italians, people from dozens of countries and places have always brought something to the city on the banks of the Vistula.

Cracow, relinquishing its function as capital to Warsaw (although it kept the crown in its coat-of-arms and the name of a capital city), still reigned over Poland in the times of the partitions as the centre of national cult and culture, whereas Warsaw took the lead in political matters and was a centre of patriotic and rebellious movements, although within the framework of the Russian empire it was only supposed to be the provincial capital of the "Vistula Land". It was Warsaw that gave birth to fundamental risings, for even when Kościuszko announced the Act of Insurrection in Cracow, the people of Warsaw led by the shoe-maker Jan Kiliński (later given the rank of colonel by Kościuszko) and soldiers of the Polish army won a victory over the strong Russian garrison and liberated the capital. Less than forty years after Kiliński had been imprisoned in St. Petersburg, the patriots of Warsaw organized another rising, called the November Insurrection from the date of its commencement, and this one lasted a year. The next generation organized the January Insurrection, also following reprisals and disturbances in Warsaw. And finally another November, in the year 1918, brought the proclamation of Poland's independence after nearly a century and a half of oppression.

And what about the Vistula? The Vistula, which readers can admire in the Canaletto painting on the cover of this book, continued to do her duty, flowing across the country and linking it up, despite foreign cordons.

Following the Congress of Vienna (that is after the fall of Napoleon who gave us a bit of independent country, the Duchy of Warsaw), a specific political brain-child was born, namely the Kingdom of Poland as it was grandly called, embracing several central districts

wej – i w ramach tych starań zebrano także budulec na uregulowanie Wisły w obrębie Warszawy. Wszakże nie trwało to długo, gdyż, wywołane coraz wyraźniejszym i groźniejszym uciskiem, wybuchło owo listopadowe powstanie, by jedenaście miesięcy (czasem już blisko zwycięstwa) grozić caratowi i pobudzać nadzieje Polaków. Upadło w końcu, lecz mimo militarnego zwycięstwa, mimo odrzucenia maski łaskawego władcy, car nie przestał bać się siły i determinacji swych polskich poddanych. Toteż zgromadzony budulec wiślany przeznaczono na wzniesienie posępnej, pełnej więziennych i wojskowych kazamat – Cytadeli. Miała ona odtąd szachować buntownicze, niepokorne miasto.

Tak więc Wisła musiała oddać zaborcy swoją własność, cegły i kamienie, które miały stać się jej nabrzeżami i bulwarami. Musiała także być świadkiem, jak na stokach

Cytadeli ginęli, powieszeni z carskiego rozkazu, przywódcy późniejszego Powstania Styczniowego z Romualdem Trauguttem na czele, a po nim wielu dalszych patriotów od 1864 roku. Dziś wycieczki zwiedzają zarówno ciemne cele tamtejszego więzienia, jak miejsce kaźni, zwane od ogromnego centralnego portalu Bramą Straceń. Trwa nieodmiennie ta sama wielka lekcja historii, gdzie głoskami wykładu są imiona poległych i pomordowanych.

of the country and with Warsaw as its main town. The real ruler, who had himself crowned king of Poland with all due pomp and ceremony held just outside Warsaw, was the Tsar of all the Russias, who at the beginning raised hopes of more liberal government. In the meantime, taking advantage of the semblances of self-determination that were created some efforts were at least made to improve the national economy and among other things building materials were collected for the regulation of the Vistula within the area of Warsaw. However, this did not last long for the ever more evident and cruel oppression led to the outbreak of the above mentioned November Insurrection, which for eleven months (sometimes very near to victory) was a threat to the tsarist régime and raised the hopes of the Poles. It failed in the end, but in spite of the military victory and although the tsar abandoned the mask of a kind ruler, he continued to fear the force and determination of his Polish subjects. Thus the building materials that had been collected to regulate the Vistula were used to erect the grim Citadel, full of prison cells and military casemates, which was to keep the rebellious, undaunted city in order.

So the Vistula had to give up her property – the bricks and stones that were to have become her wharfs and embankments – to the partitioner. She also had to witness the execution of the leaders of the later January Insurrection whom the tsar sentenced to death by hanging on the slopes of the Citadel, first of all Romuald Traugutt and then, after 1864, many more patriots. Today, excursions visit both the dark cells of the prison and the place where patriots met their death called the Execution Gate, after the huge central portal. That great, unchanging lesson of history is there for all to see, written in the letters of the names of those who died or were murdered at the Citadel.

Jest zatem Warszawa miejscem wzniosłych tradycji, lecz na co dzień, lecz dziś, po zaleczeniu ran ozdobiona nowymi wspaniałościami, wiedzie spokojny, normalny żywot wielkiego miasta, gdzie zwyczajnie przeplatają się smutki z zawsze zadziornym, charakterystycznym stołecznym żartem.

Jakże to typowy był dowcip, który powstał w czasie najstraszliwszych walk sierpniowych 1944 roku: na barykadzie, pod huraganowym ogniem hitlerowskich czołgów i broni maszynowej, pośród walących się z góry bomb powiada jeden warszawski gawrosz do drugiego: „Te, Wicek, przestrasz mnie, bo dostałem cholernej czkawki!..." Ale to jeszcze trzeba powiedzieć tym szczególnym warszawskim akcentem...

Ciekawa rzecz – oto mimo że ludność Warszawy tylko w części dziś wywodzi się ze starych tutejszych rodzin, że napłynęło mnóstwo stołecznych rodaków z całego dosłownie kraju, wsi, miast i miasteczek, to jednak ów charakterystyczny akcent trwa w najlepsze. Tu się nadal zmienia *i* na *y*, a także odwrotnie, tylko tu panuje specyficzna wymowa głoski *l*, co jak kluska wypełnia całe usta i to, co się w Paryżu nazywa argot, w Londynie cockney lub tylko slang, co ma każda metropolia świata niby swój znak szczególny, wyróżnia także po dawnemu Warszawę. Istniał też literat, piszący tym właśnie językiem: Stefan Wiechecki – Wiech.

No i, oczywiście, nastrój. Nieodmiennie podpytuję cudzoziemskich gości, zwłaszcza świeżo przybyłych, jakie też wrażenie z tego miasta uważają za dominujące. Otóż – choć niezmiernie trudno ująć to w słowa i określić – przede wszystkim nastrój. Owszem, również fakt, iż miasto jest bardziej przepojone zielenią i czystsze od wielu stolic, że ma interesujące kontrasty urbanistyczne i architektoniczne (tu naszym makabrycznym Haussmannem była po prostu wojna!), ale dominuje nad wszystkim ogólna aura, ogólny ton. Jak go nazwać? Jak określić? Chyba należy odwołać się do herbu, w którym widnieje nagi tors kobiecy zakończony rybim ogonem. Syrena w lewej dłoni trzyma tarczę z orłem, w podniesionej prawicy – miecz.

Warsaw is thus a city with noble traditions, but its everyday life today, now that her wounds have healed and she is adorned with new splendour, is the untroubled, normal life of a big city, with ordinary ups and downs, and the ever present provocative, characteristic banter of the Varsovians.

A typical example is the joke made during the fiercest fighting of August 1944: behind a barricade, under heavy fire from Nazi tanks and machine guns, with bombs dropping from above, one waggish Warsaw lad says to another, "Hi mate, make me jump, I got the blarsted 'iccups"... And to get the full effect it should be said with the special Warsaw accent, a sort of Polish cockney.

It is an interesting thing that although only part of the present Warsaw population are native Varsovians and many of the inhabitants have come from all over the country, from villages, other towns and townships, the characteristic Warsaw accent still thrives. The vowel sounds are still distorted or changed and only in Warsaw will you hear the characteristic pronunciation of the consonant "l", as though the speaker has a plum in his mouth. It is the sort of thing found in every metropolis of the world, a peculiarity that still is part of Warsaw, as of old. There was a writer, Stefan Wiechecki-Wiech, who wrote his columns in this specific Warsaw slang.

And, of course, the feel, the atmosphere of the city. I always ask my foreign guests, especially those who have just arrived, what has made the strongest impression upon them. It is something difficult to put into words or define clearly, but above all, it is the atmosphere. True, they also notice that the city has more greenery and is cleaner than many capitals, that there are interesting contrasts in town planning and architecture (the war was our Haussmann!), but the predominant thing is the special atmosphere, the general feel of the city. What can one call it? How can one define it? Perhaps it might help to look at Warsaw's coat-of-arms, showing a woman with a naked trunk and the tail of a fish, who holds a shield with eagle in her left hand and a sword in her raised right hand. Yes, Warsaw can, if she likes, freeze the intruder with the cold touch of

Tak, potrafi Warszawa, gdy chce, zmrozić rybim wręcz chłodem intruza, ale przyjaciół wabi urodą – kobiecą szczególnie, bo warszawianki słyną z wdzięku i elegancji. I tarczą była niezliczone razy w swoich dziejach, i broń szczególnie często musiała wznosić w swojej i kraju obronie! A czasy pokoju? Płyną z pozoru, jak wszędzie indziej, lecz bywają chwile, kiedy odezwie się inna nuta: tu wspomnę na katastrofę, jaka w centrum miasta wstrząsnęła Warszawą. Eksplodował gaz zgromadzony w pomieszczeniach podziemia okrągłego budynku bankowego PKO; zmasakrowany został personel, klienci, nawet pobliscy przechodnie. I ci, którzy nie mogli nawet mieć za sobą doświadczeń bojowych, okazali się natychmiast, z punktu, bohaterskimi ratownikami, szli w dym i pod obsuwające się stropy, wyciągali rannych, pomagali strażakom, milicji, wojsku. Gdy zaś ogłoszono, że potrzebna jest krew do transfuzji, wtedy do podstawionych autokarów walił tłum – tysiące oddawały krew w szpitalach i dniem i nocą. A potem, długie miesiące, odkąd stanęły wokoło odbudowującego się budynku płoty ochronne, Warszawa nieustannie obwieszała je kwiatami, stale świeżymi kwiatami... Prowadzący remont, gdy płoty znikły, zainstalowali wreszcie specjalną ścianę, gdzie nadal widnieją bukiety.

I obok najpatetyczniejszych odruchów – codzienna pogoda ducha, aż po typowe kpinki ze wszystkich niedogodności.

Kiedy na przykład...

To już jednak opowiem przy innej okazji. Teraz wzywa nas wiślana podróż, zwłaszcza że rzeka płynie coraz wspanialsza i coraz majestatyczniejsza. Poniżej Warszawy mija ceglane, forteczne mury Modlina, dzieło fortyfikacyjne wzniesione według osobistych projektów Napoleona Bonaparte. Tamże szerokim nurtem z prawej strony wlewają się wody Bugu i wpadającej doń na jakieś 20 km przed ujściem wiślanym – Narwi. Obecnie powstał nieco wyżej sztucznie stworzony zalew wodny, służący swoją siłą energetyce, swoją powierzchnią zaś i brzegami – wypoczynkowi, sportom wodnym oraz masowemu wyrojowi campingowych domków dokoła, bunga-

a fish, but for her friends she is full of allure, particularly her fair sex, for the women of Warsaw are known for their elegance and charm. She has been a shield many times in her history and has often had to rise the sword in her own and the country's defence! And in peace time? Life seems to flow on much the same as anywhere else, but there are times when a different note is sounded, to mention only the catastrophic gas explosion in the very heart of the city that unexpectedly shook Warsaw. The explosion occurred in the underground part of the round PKO bank building, causing a massacre of the personnel, customers and even people in the street outside. People near the scene of the catastrophe, young people who had not even experienced war conditions, immediately became heroic rescuers, entering the smoke-filled building, regardless of the imminent danger of collapsing girders, carrying out the wounded, helping the firemen, the militia and soldiers engaged in rescue work. And when an appeal was issued to the people to give their blood for transfusions, crowds of blood donors came to the waiting coaches, thousands filed into the Warsaw hospitals day and night. Afterwards, for many months after the tragedy, the fence put up round the ruined building was constantly bedecked with flowers, fresh flowers every day... When the fence was taken down the builders engaged in reconstruction work built in a "wall of memory" where to this day garlands of fresh flowers are still hung.

And beside this most solemn of reactions – the unfailing spirit and humour of the Varsovians, jocularly making light of inconveniences of all kinds. For instance...

But I'll leave that for another time. The Vistula calls us, and we must continue our journey down this ever more magnificent and majestic waterway. Outside Warsaw we pass the walls of the Modlin fortress, built according to the design of Napoleon Bonaparte himself. On the right the wide stream of the waters of the River Bug, and the Narew which joins it about 20 kilometres away, flow into the Vistula. There is a large artificially formed lake farther up, the dam providing electric

lowów, a nawet niezliczonych willi wszelakiego autoramentu. Niedługo będzie można, zwłaszcza w dni weekendowe, przejść spory szmat drogi od Zalewu w głąb kraju po dachach parkujących tam aut...

Zanim opuścimy z biegiem Wisły dalsze i bliższe okolice Warszawy, wypada wspomnieć o czterech rewelacjach technicznych, z których trzy tyczą Królowej Rzek bezpośrednio. Obiekt pierwszy powstał 30 czerwca 1410 roku pod miejscowością Czerwińsk, którą mijamy przed Płockiem, opodal zielonego Wyszogrodu. Owego lata, przed z górą pięcioma wiekami, lewym brzegiem Wisły szły potężne wojska króla Władysława Jagiełły, zjednoczone z zastępami litewskimi, by rozstrzygnąć decydującą bitwę (o niej opowiem potem), zastarzały konflikt z Zakonem Krzyżackim; „Rycerze Niemieckiego Porządku", jak ich zwano w Europie, czuli się pewni za wiślaną przegrodą, ale oto powyżej Czerwińska, utrzymując ścisłą wojskową tajemnicę, zbito na pontonach elementy pływającego mostu – i gdy armia stanęła nad rzeką, cały komplet nadjechał, został błyskawicznie zespolony w całość i ku zaskoczeniu wroga wojska nasze znalazły się razdwa na prawym, krzyżackim brzegu!... Półtora wieku później, już w samej Warszawie dał pokaz niebywale sprawnej inżynierii niejaki Erazm z Zakroczymia (Erazm Giotto), konstruując na zlecenie króla Zygmunta Augusta most drewniany; pomysłowość wiązanego mostu była tak śmiała i tak prekursorska, że do dziś, przeliczając komputerami przęsła drewniane niesłychanej długości dziwują się spece wielkiemu geniuszowi ich renesansowego kolegi. (Dodam nawiasem, iż pewien inżynier budowlany, będąc wakacyjnie w góralskiej chacie, gdzie i ja mieszkałem, cały dzień przeliczał suwakiem logarytmicznym, na arkuszach papieru milimetrowego, swoisty „cud konstrukcyjny" w postaci tamtejszego wejścia na strych; zaindagowany przez badacza cieśla, autor schodów niosących po optymalnej linii minimalną ilość drewna, najprościej zarazem zespolonego, powiedział, że nic nie liczył, tylko zrobił tak ot, „na oko"! Musiał i Erazm z Zakroczymia,

energy and the lake itself and its shores a fine recreation area for water sports, with whole colonies of camping chalets, bungalows and even numerous villages of all types and sizes. It won't be long before, particularly at weekends, one will be able to walk quite a way from the lake over the roofs of the cars parked round it...

Before the course of the Vistula takes us beyond the immediate vicinity and more distant surroundings of Warsaw, mention should be made of four technical marvels, of which three are directly connected with our Queen of Rivers. The first of them was constructed on 30 June 1410, near Czerwińsk (which we passed before coming to Płock) not far from the green banks of Wyszogród. In that summer more than five centuries ago, the powerful army of Ladislaus Jagiello united with the forces of Lithuania was marching along the left bank of the Vistula to fight the decisive battle that was to end the long conflict with the Order of the Teutonic Knights (the story of the battle will be told later). The "Knights of the German Order", as they were called in Europe, were feeling very sure of themselves on the other side of the Vistula. But near Czerwińsk, elements of a floating bridge were being mounted on pontoons (in strict military secrecy) and when the whole army had reached the riverside it was put together at lightning speed and, to the surprise of the enemy, our army was over the river and on the opposite, Teutonic, bank in no time!... A century and a half later, in Warsaw itself, a certain Erasmus of Zakroczym (Erasmus Giotto) demonstrated remarkable engineering talents when, at the order of King Sigismund Augustus, he built a wooden bridge across the Vistula. The bold and ingenious design of this truss bridge was so precursory that, today, experts making computer calculations of the exceptionally long wooden bridge spans are amazed at the genius of their Renaissance predecessor. I might add here, as a matter of interest, that a certain civil engineer on holiday in a highlander's cottage, where I happened to be too, spent a whole day calculating with slide rule and graph paper to discover the secret of a "construction-

prócz wiedzy, mieć takież bezbłędne spojrzenie.). Następnie, gdy nadszedł rok 1859, trzysta lat po genialnym Erazmie inżynier Stanisław Kierbedź – o trzydzieści lat wyprzedzając żelazny ewenement paryskiego Eiffla – stworzył w Warszawie, łącząc ją z prawobrzeżnym przedmieściem Pragą, stalową kratownicę, niejako rurę o prostokątnym przekroju, most nie spotykanej przedtem sprawności i siły. Dość rzec, że gdy podczas pierwszej wojny światowej w 1915 roku cofające się wojska rosyjskie wysadziły dwa centralne przęsła, nikt nie dał rady (chociaż technika miała już dodatkowe pół wieku doświadczenia!) powtórzyć kierbedziowej konstrukcji i uzupełniono ubytek łukowatymi, ciężkimi belkowaniami (most ten uległ całkowitemu zniszczeniu w 1944 roku).

I wreszcie – choć to już nie nad Wisłą, ale pod Warszawą: rok 1927 i znowu rewelacja światowej klasy, pierwszy spawany most drogowy na rzece Słudwi pod Łowiczem. Do dziś zjeżdżają tam wycieczki fachowców dla zbadania prekursorskiego wyczynu polskiego inżyniera Stefana Władysława Bryły, nagroda jego imienia zaś stanowi u nas szczególnie zaszczytne wyróżnienie w dziedzinie techniki.

Te cztery rekordowe wyczyny budownictwa nadwodnego (a mieliśmy ich więcej na innych rzekach, jak np. Ignacego Prądzyńskiego Kanał Augustowski łączący dorzecza Wisły i Niemna i szereg podobnych ewenementów) – niechaj zamkną rozdział o okręgu stołecznym i o centralnym odcinku Wisły. Wchodzimy teraz w wiraż na lewo, kursem Nord-West.

al marvel" he found there, namely, the staircase leading up to the attic. The carpenter who had built the staircase, of optimal line with the minimum of timber and the most simple structure, when asked how he had achieved this, said, "I don't bother with calculations; all you need is a good eye."... Erasmus of Zakroczym, apart from knowledge, must have had a good eye too. Then, in the year 1859, three hundred years after the remarkable Erasmus and thirty years before Eiffel amazed the world with his engineering feat – the 300-m iron tower in Paris, an engineer called Stanisław Kierbedź built a steel latticed bridge linking Warsaw with its right-bank suburb of Praga. It looked like a long oblong-shaped tube, which was unprecedented as regards strength and efficiency. Suffice it to say that when, during the First World War, the retreating Russian army blew up the two middle spans, nobody was able to rebuild them as Kierbedź had done previously and the missing spans were replaced by heavy girdered arch-like structures (the bridge was completely destroyed in 1944).

Lastly, this time not over the Vistula, but not far from Warsaw, the year 1927 brought another engineering feat of world class, the first welded bridge which spanned the River Słudwia, near Łowicz. Even today engineers make excursions there to examine the precursory work of the Polish engineer Stefan Władysław Bryła and the award named after him is an honour particularly prized by experts in this field.

These four record-breaking feats of hydro-engineering (and there were more of them, to mention only the Augustów Canal linking the Vistula and Neman rivers, built by Ignacy Prądzyński) bring us to the end of the chapter on Warsaw and its surroundings and the middle sector of the Vistula. We now follow the bend of the river to the left, changing our course and heading north-west.

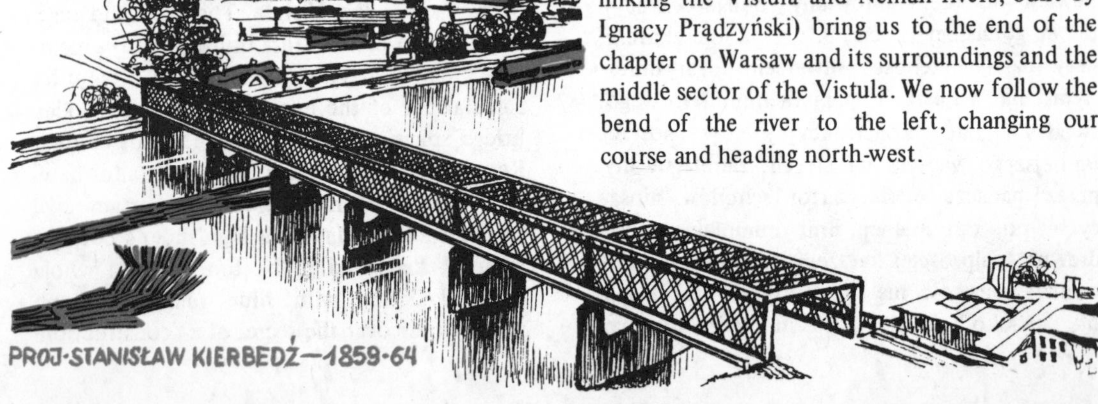

Rozdział 7

OD STOLICY DO MORZA

Idąc wymienionym kursem, a nawet przechylając stery jeszcze silniej ku zachodowi – opływamy wraz z łagodnym, długim łukiem rzeki dosyć unikalny rezerwat przyrody, od strony lewej burty. Jest to mianowicie Puszcza Kampinoska, unikalność jej zaś polega na tym, że w przeciwieństwie do większości chronionych terenów przyrody ten znajduje się u wrót Warszawy, coś jakby Yellowstone Park rozciągał się u przedmieść Nowego Jorku! Dla mieszczuchów bez wątpienia wyjątkowa okazja, jednakże – czy i dla lokatorów rezerwatu?

Okazuje się, że jednak można stworzyć i taką symbiozę, choć oczywiście kłopotów z tym sporo i zawsze znajdą się niesforni goście, zakłócający spokój natury, żywot roślin i zwierząt. Ale czyż inaczej bywa gdzie indziej? Sądzę, że gdyby np. kanion Colorado lub Niagara nie były fundowane z solidnych skał, rozdeptano by je bardzo szybko.

Chapter 7

FROM THE CAPITAL TO THE SEA

Taking a north-west course and even pulling the rudder a little more to the west, we follow a long wide curve that leads us round a unique nature reserve on our left. It is the Kampinos Forest, which is unique because, unlike most protected reserves, it extends almost to the very gates of Warsaw (just imagine Yellowstone National Park extending to the suburbs of New York). Certainly very nice for the city-dwellers, but are the inhabitants of the forests as pleased as we are?

We have found that such a symbiosis can be achieved, although we have some trouble in maintaining it, for there are always unruly guests of the forest who disturb its peace with little regard for the plant and animal life there. But I suppose it is the same everywhere. If the Colorado canyons and Niagara Falls were not built of solid rock they would be worn away very quickly.

In the Kampinos Forest, which has its own

W Puszczy Kampinoskiej, mające zresztą własną przyrodniczą straż, a także zastępy uczonych czuwających nad równowagą ekologiczną, czyli po prostu życiem lasu – mnożą się, prócz innych gatunków, szczególnie wspaniałe ssaki: łosie. Ba, raz po raz gazety donoszą, że jakiś okaz zabłądził, wyszedłszy ze swoich bagienek i komyszy, między ludzkie domostwa, do puszczańskich osiedli, co zresztą zdarza się w Polsce także po innych okolicach. Sam niedawno, jadąc przyleśną drogą, tuż obok bardzo ruchliwej szosy, napotkałem (ściślej: napotkaliśmy, bo żona pierwsza go z auta zauważyła) potężnego roczniaka łosia, który pasł się najspokojniej na porębie. Zwolniłem, jak się tylko dało, wiedząc że obyte z motoryzacją zwierzęta leśne płoszą się wtedy, gdy zobaczą, że pojazd nieruchomieje – i oglądaliśmy się wzajemnie przez dłuższy czas, on nas, my jego zwaliste ciało i podobny do starego grzyba zabawny pysk. Pozwolił na to spokojnie mimo ledwie parometrowego dystansu.

keepers and also a number of scholars engaged in preserving the ecological balance, or, more simply, the life of the forest, the numbers of that magnificent mammal, the elk, and also other animals, have increased. From time to time we read in the papers that one of them has lost its way, left its marshy habitat and wandered into somebody's garden in the forest settlements, a thing that also happens elsewhere in Poland. Not long ago, driving along a road by the forest, not far from a very busy route, I met (or rather we met, for my wife saw him first) a fine elk, a yearling, calmly grazing by the roadside. I slowed down as much as I could – knowing that forest animals that are used to motor traffic take flight when a vehicle stops – and we had a look at each other for quite a time, he watched us and we looked at his thick-set body and absurd mouth, like an old mushroom. He did not take fright, although we were only a few metres away from him.

Talking of the Kampinos Forest, I once

Co zaś tyczy Puszczy Kampinoskiej, poznałem raz uroczego człowieka, młodego robotnika z pobliskiego rezerwatowi miasteczka Sochaczewa, który to chłopiec ochotniczo i z ogromnym nakładem energii oraz wiedzy mianował się strażnikiem przyrody. Każdy wolny dzień, niemal każdą wolną godzinę spędza na przemierzaniu lasów, dbając troskliwie,

met a charming fellow, a young worker living in the nearby town of Sochaczew, who quite voluntarily gives up his spare time and a lot of energy, as a self-appointed keeper of this nature reserve, of which he has a lot of knowledge. He spends every free day and almost every spare hour walking through the forest to see that no harm has come to his forest friends: the

czy nie dzieje się krzywda jego prywatnym znajomym: borsukowi pod korzeniami starego drzewa, ptakom gniazdującym po krzewach, fukającym gniewnie przezornym dzikom i owym łosiom, chlubie Kampinoskiego Parku Narodowego. Pytałem czemu po prostu nie wstąpi do urzędowej straży rezerwatu, ale odparł, że to już nie byłoby to, że stałby się w swoich oczach po trosze urzędnikiem, podczas gdy właśnie taka współpraca z oficjalnymi opiekunami Puszczy, to swobodne zwiedzanie terenu, dokąd oczy, albo intrygujące ślady zwierzęce poniosą, ten tryb działania cieszy go najbardziej.

Za Puszczą Kampinoską i za prawobrzeżnym Wyszogrodem skierujemy się niebawem znów bardziej ku północy, aby wkrótce już dotrzeć do miasta na wyniosłej skarpie, pociętej głębokimi wąwozami, do Płocka. Nie potrafię co prawda odnajdywać nadmiaru urody w pejzażach przemysłowych (bo najbardziej malownicze są przecież dymy, lecz cały urok psuje myśl, że właśnie ich kłęby stanowią najgorszą cechę, najzjadliwszy wyziew danego okręgu), jednakże właśnie w Płocku przeżyłem pewnej nocy chwilę autentycznego zachwytu, właśnie dzięki industrializacji, konkretnie: dzięki petrochemii. Płock jest dziś jej stolicą w naszym kraju, tu trafia potężnym rurociągiem ze Związku Radzieckiego ropa naftowa, tu się ją przetwarza na wszelkie możliwe sposoby, stąd płynie paliwo silnikowe, stąd pochodzą najrozmaitsze produkty naftowo-smarowej branży oraz subtelniejsze składniki do reakcji chemicznych w innych zakładach wytwórczych. Tamtej nocy zaś, kiedy jadąc skądeś mijałem bezkresne pola zabudowane rafineriami, zbiornikami i całym labiryntem (nie widocznych zresztą w ciemności) rur i przewodów, zdumiałem się pięknem niespodziewanego widoku. Bo oto jak okiem sięgnąć lśniły girlandy, sznury różnobarwnych świateł, a nad ich rozmigotanym rojowiskiem buchały żywym, kapryśnym ogniem płomienie kontrolnych ujść gazu. Miałem wrażenie dotarcia do bajecznej krainy Szeherezady, do jakiegoś olbrzymiego, pełnego rozjarzonych klejnotów Sezamu. To skrzyżowanie starej opowieści z wizją science-fiction kazało mi zatrzymać samochód i długo podziwiać przedziwną feerię światła i żaru.

badger who lives under the roots of an old tree, the birds nesting in the bushes, the cautious wild boar, snorting angrily to warn you off, and the elk, the pride of the Kampinos National Park. I asked him why he did not join the ranks of official keepers, but he answered that this would make his visits to the forest just like any other job, whereas his cooperation with the official keepers of the Forest just wandering at will, following his nose, or the intriguing tracks of some animal, gives him the most pleasure.

Beyond the Kampinos Forest and Wyszogród on the right bank, our course turns to the north again and not long after we come to a town on a high embankment, cut through by deep gorges. This is Płock. I confess I find it difficult to go into raptures about industrial landscapes (the most picturesque thing about them are the trails of smoke, but the charm is spoilt by the thought that the smoking chimneys are the worst thing, the most poisonous emanation of such regions). But one night, in Płock, I lived through a moment of authentic rapture, and it was evoked by industry, or to be more exact, the petrochemical plant there. Płock is today Poland's petrochemical capital, to which a huge pipeline brings crude oil from the Soviet Union and where it is processed into innumerable products. Our petrol comes from Płock, so do all sorts of oils and lubricants, as well as more subtle products used for chemical reactions in other plants. But on the night I have referred to I was driving home from somewhere through Płock, past the refineries, the tanks and the whole labyrinth of pipes and installations (invisible in the dark anyway) that go to make up the plant, when I was suddenly amazed at the beauty of the sight that met my eyes. As far as I could see there were little lights of many colours, whole garlands, strings of them, and above this sea of twinkling light and colour, I saw the vivid capricious flames of the gas outlets shooting towards the sky. I felt as though I had wandered into the land of Sheherezade, as though the magic words "Open Sesame" had brought me into a world of sparkling gems. These impressions, a mixture of the Arabian Nights and science fiction, led me to stop my car and gaze at that strange fairyland of light and fire.

Jednakże piękno to zjawiło się w gruncie rzeczy mimochodem, przypadkiem, nie o nie szło przecież budowniczym kombinatu petrochemicznego – toteż proszę mi pozwolić, abym teraz w Płocku zwrócił uwagę własną i Czytelników na te obiekty, które powstały po to, aby i służyć sobą i jednocześnie zachwycać. A ma ich to stare miasto niemało.

Kiedy w 1047 roku trafił Płock do zapisków jednego z kronikarzy, już był grodem z niemałą historią, zwłaszcza jako miejsce obronne, przez samą naturę (stromy brzeg wiślany, przepastne jary po bokach spłaszczonego wzgórza) ufortyfikowane. Do przyrodzonych walorów tego typu dochodziła szczególnie wysoka umiejętność dawnych cieśli, tak kunsztownie i tak zawile przeplatających potężne pnie drzewne z kamieniami i nasypami, że twierdze typu Płocka stanowiły w tamtych czasach niezdobyte punkty oporu. Chętnie zatem przebywali tu władcy średniowieczni, pośród których najpotężniejszym był Bolesław Krzywousty. Do niedawna wierzyliśmy tylko na słowo, wedle tradycyjnego przydomka, iż król był krzywousty, aż oto znaleziono w Płocku tumbę monarchy, gdzie naukowe pomiary czaszki wykazały istotnie wrodzone wady kośćca.

In addition to these natural advantages, old Płock had exceptionally accomplished carpenters, who knew how to combine huge logs with stones and earthwork with such intricate skill that strongholds like Płock were in those times unconquerable. So it was a favourite residence of mediaeval rulers, the most powerful of whom was Boleslaus the Wrymouth. Until recently, the king's cognomen was all we had to go on, taking on trust the fact that he really was wrymouthed, and then the tomb of the monarch was discovered in Płock and scientific measurements of his skull have shown that the bone structure was indeed deformed.

But this beauty is incidental, created by chance, for it was not the aim of those who built the petrochemical plant; so if you will allow me, I will turn my attention and yours, dear readers, to the buildings in Płock that were erected to serve the people and at the same time to delight the eye. And this old town has many of them.

When in 1047 Płock was mentioned in the writings of one of the chroniclers, it already had quite a long history, particularly as a place with natural defences – the steep high bank of the Vistula and the deep gorges on both sides of the flat-topped hill on which it was situated.

Wg Fot. J. Sabary

Grób Krzywoustego znajduje się w największym i jednocześnie najwspanialszym jako dzieło sztuki zabytku Płocka, tumie wieńczącym Tumskie Wzgórze i górującym nad

The tomb of Boleslaus the Wrymouth is in the cathedral towering high over the town on Tum Hill. It is the biggest historic building in

okolicą, czyli w katedrze, która powstawszy zgodnie ze stylem romańskim w latach 1126 – 1141, rozkwitła czterysta lat potem dodatkową urodą renesansowych uzupełnień, wprowadzonych przez italskich mistrzów: Ciniego, Zanobiego de Gianotis i Jana Baptystę z Wenecji. Czemuż dziś handel zagraniczny nie ma owego starodawnego działu pracy, który mógłby się zwać urzędowo Departamentem Importu Piękna? Właśnie Płock może w tym stanowić chwalebny przykład, choćby dlatego, że prócz wymienionych „gastarbeiterów artyzmu" sprowadzono tu – już w dwunastym stuleciu – z Magdeburga przepyszne, spiżowe drzwi ozdobne (które zresztą od XV w. przewędrowały do soboru Sofijskiego w Nowogrodzie Wielkim, a więc nie tylko my mieliśmy ów Departament). W samym zaś Płocku sztuka kwitła też wspaniale, chlubiąc się niegdyś szkołą mniatur wczesnośredniowiecznych, znanym szeroko złotnictwem i snycerką, a także poetą o europejskiej sławie – Maciejem Sarbiewskim, urodzonym w niedalekim Sarbiewie. Muzy kochają to miasto, gdyż tu się również urodził i tu ma dziś piękny pomnik jeden z ważniejszych poetów bieżącego wieku Władysław Broniewski, piewca m.in. naszej Rzeki, jako autor rozległego poematu *Wisła*.

Miasto tedy zaleca się szczególnie cennymi i szczególnie pięknymi zabytkami, gdyż oprócz majestatycznego tumu, podobnie jak w Sandomierzu, skupiły się tu liczne budynki i kompleksy gmachów – a byłoby ich więcej, gdyby dawniej znano metodę prof. Cebertowicza, albowiem w roku 1532 nastąpiło obsunięcie wiślanej skarpy i runęły liczne wspaniałe obiekty, a nawet część przybrzeżnej ulicy. Z innych zaś, niż architektoniczne, ciekawostek wspomnę, że nie tak dawno, bo ledwie w 1951 roku założony (i doskonale, nader ofiarnie prowadzony przez p. Taborskiego) płocki ogród zoologiczny chlubi się wyjątkowym osiągnięciem: oto skrzyżowano tu zwykłe bydło domowe z żubrem, pobratymcem znanego z Ameryki bizona, uratowanym *notabene* w Polsce od zagłady mieszkańcem rezerwatów przyrody. A skoro o zoologii mowa, nie umiem się powstrzymać, by wysiadłszy na lewym brzegu Wisły, nie podjechać do pobliskiego Łącka,

Płock and at the same time the most magnificent work of art, first built in Romanesque style in the years 1126–41 and enhanced four hundred years later by Renaissance additions introduced by the Italian masters Cini, Zanobi de Gianotis and Giovanni Battista of Venice. Why doesn't today's foreign trade include the old branch of activity that we might call the Department for Import of Beauty? Płock can serve as a glorious example, if only because apart from the above mentioned men of artistry, we imported – way back in the 12th century – a superb ornamented bronze door from Magdeburg (which, by the way, later went to the Orthodox Cathedral of St. Sofia in Novgorod, so we were not the only ones to have such a department). In Płock itself art flourished splendidly; it once boasted a school of early mediaeval miniatures, goldsmithery and wood carving and a poet of European fame Maciej Sarbiewski, who was born in nearby Sarbiewo. The muses obviously love the town, for another of its sons, to which a beautiful monument has been raised, was Władysław Broniewski, one of the best known Polish poets of the present century, who, among other things, wrote a long poem *The Vistula*, extolling the Queen of Rivers.

The town has particularly valuable and beautiful historical quarters, for in addition to the magnificent cathedral, as in Sandomierz there are numerous buildings and whole complexes of historical value grouped close together. And there would be more of them if Professor Cebertowicz's method had been known earlier, for in the year 1532 the Vistula scarp subsided causing the collapse of many fine structures and even part of the riverside road.

And now, to turn to another place of interest, not architectural this time, namely the Płock Zoological Garden, founded quite recently in 1951 and run very efficiently thanks to the selfless work of Mr. Taborski, which has some quite exceptional achievements to its credit. The Płock Zoo has crossed household cattle with the Polish bison (a relative of the American bison), in danger of extinction until they were protected in special reserves. And while we are on the subject of zoology, I just cannot resist making a little excursion to nearby Łąck,

gdzie kwitnie wspaniała hodowla koni wierzchowych. W ogóle – dodam – Polska jest potęgą w tej właśnie, głęboko przez całą naszą tradycję przerośniętej dziedzinie – i grube tysiące dolarów płyną do nas co roku, gdy sprzedajemy (a bodaj tylko wypożyczamy za ogromne sumy) okazy koni czystej krwi czyli arabskie. Zresztą i w dziale pełnej krwi, a więc w rasie angielskiej jesteśmy także mocarstwem (nadwiślańska stadnina w Kozienicach pod kierunkiem pana Sas-Jaworskiego stanowi tu dobitne świadectwo). Czyż zresztą chodzi tylko o pieniądze? W narodzie tak kawaleryjskim, jak nasz, koń stanowił zawsze obiekt bliski sercu i sentymentom, do dziś każdy miłośnik tego cudownego zjawiska potrafi wymienić imiona historycznych wierzchowców, jak szesnastowieczne konie monarchów – biały arab Iwaszko, bułany Wojda, ciemnogniady z jasną gwiazdką na czole Batory (nazwany tak na cześć króla, który przybył z Węgier, by panować w Polsce, Stefana Batorego), łaciatego wałacha imieniem Oboźny – no i późniejszych, jak choćby zwycięzców sportowych (Paryż 1924 i in.) – Jaśka i Pikadora pod rotmistrzem Królikiewiczem... A między tymi sławami? A bliżej naszych dni? Wielka to i imponująca gromada.

where there is a fine stud farm of saddle horses. Generally speaking, I might add, Poland is famed for its horses, having deeply rooted traditions in this field and many thousands of dollars flow into the country from the sale of thoroughbred Arabs (or just for loaning them at a large fee). And in the field of English breeds we are also well known (to mention only the stud farm at Kozienice, near Dęblin by the Vistula, run by Mr. Sas-Jaworski). And it is not only a question of money. In a nation with cavalry traditions like ours, people love horses and have a special sentiment for them. Even today there are horse-lovers who can tell the names of the horses in our history, such as those of the 16th century monarchs – the white Arab Ivashko, the dun horse Voyda, the bay horse Batory, with light-coloured star on its forehead (so called after the king Stephen Báthory, who came from Hungary to rule in Poland), the dappled gelding called Oboźny – and horses of later times too, to mention only the winners of sporting events (Paris, 1924 and others) Jasiek and Pikador, ridden by Captain Królikiewicz . . . And in between? Nearer our times? There are many more, quite an impressive array.

Po Płocku mamy na przeciwnym, lewym brzegu Włocławek. Od dawna już trzymamy się kursu West-West-Nord, toteż Włocławek jawi nam się od południa, zębatą sylwetą, znaczoną fabrycznymi kominami. Od dawna miasto słynęło – i weszło do literatury współczesnej powieścią Igora Newerlego *Celuloza* – z obróbki drewna dla papiernictwa, strajkami przedwojennych, głodowo opłacanych robotników sezonowych, wspomnieniem straszliwych slumsów na piaszczystym brzegu rzeki. Dziś zaś wciąż za mało tu rąk do pracy, a na ulicach Włocławka można usłyszeć raz po raz obcą mowę... nawet sprowadzanych z daleka Japończyków. Ba, jedno z najpoważniejszych pism społeczno-politycznych, moja zresztą macierzysta „Polityka", zamieszczało pasjonujące rozprawy o problemach, jakie wynikają – socjalnie, towarzysko, lingwistycznie i obyczajowo – z tego typu gromadnego współżycia i sąsiedztwa na co dzień.

Włocławek, choć żyjący z celulozy, słynie dziś także innym produktem, a mianowicie najpiękniejszymi w Polsce fajansami, malowanymi ręcznie wedle ludowych wzorów i rozchwytywanymi błyskawicznie, gdziekolwiek się w sprzedaży pojawią, czy to w naszych czy w zagranicznych sklepach. Zarówno najszlachetniejsze, czyli biało-szafirowe, jak wielobarwne, cieszące oczy bukietami fantazyjnych kwiatów i ornamentów, włocławskie talerze, zastawy, kandelabry, figurki i bibeloty – są mimo przemysłowego rozmachu produkcji, o dziwo, wciąż wytworami najwyższej artystycznej rangi. Znowu potwierdza się, wielkimi nazwiskami Chopina i Wyspiańskiego poparta reguła: że sztuka, niby mityczny Anteusz, najżywsza i najenergiczniejsza bywa wtedy, gdy dotyka ziemi, gdy bierze się z gleby, na jakiej wzrosła.

Grunt zaś dookolny wyjątkowo tu żyzny, zarówno w przenośni, czego fajans włocławski między innymi dowodem, jak dosłownie, gdyż Kujawy (bo tak się zwie od prawieków ta kraina) przodowały zawsze w rolniczym rzemiośle, bogate zbożem, okopowymi i hodowlą. „Na Kujawach nic nie braknie, jeno drewek każdy łaknie" głosi stare przysłowie,

Leaving Płock behind us, we continue down the river till we come to Włocławek on the left bank. We have been keeping to our west-west-north course for some time now, so the serrated silhouette of Włocławek with its factory chimneys appears to the south of us. The town has long been known as a centre processing wood for the paper industry – it was immortalized in literature by Igor Newerly's contemporary novel *Celuloza* (Cellulose) – and won ignoble fame for the pre-war strikes of seasonal workers, whose wages were barely enough to stave off hunger, and the dreadful slums on the sandy bank of the river. Today the town suffers from a lack of manpower and on the streets of Włocławek one sometimes hears foreign tongues, for Frenchmen and even Japanese have come here to work. One of the most widely read social and political weeklies *Polityka* (to which I contribute) published an interesting article on the social problems, differences of language, customs etc., which arise in the everyday coexistence of various nationalities in this kind of community.

Włocławek, although it lives from cellulose, is today famed for another product, namely the most beautiful faience ware, hand painted in folk designs, which is sold out in no time wherever it appears in the shops, be it in Poland or abroad. Both the most refined faience ware – in blue and white – and the multicoloured type, the plates, table services, candlesticks, figurines and all sorts of knick-knacks from Włocławek are – despite the industrial momentum of their production – things to delight the eye with their bouquets of fantastic flowers and other ornamentation, and are invariably of the highest artistic level. This is another confirmation of the rule, borne out by the names of Chopin and Wyspiański, that art, like the mythical Antaeus, is most vital and strong when it touches the earth, when it comes from the soil that bore it.

And the soil around here is very fertile, both in the metaphorical sense, which is proved by the Włocławek faience ware, and literally, because Kujawy (that is the centuries-old name of this part of Poland) has always been a leading agricultural region, rich in grain, root crops and cattle. "The Kujawy region lacks nothing, but

bo też – choć do Włocławka nieustannym strumieniem płynie rzeka sosnowych pni – rola tutejsza jest wykorzystana przede wszystkim pod pług i zasiewy.

Nic dziwnego, iż w podobnie zasobnym rejonie suto obrodziły także, bogate zaplecze mając, nauki wszelkie. Już przed kilkuset laty działał tu, z profesury w dalekiej Bolonii do rodzimej Polonii zjechawszy, renesansowy astronom Mikołaj Wodka, i w tymże Włocławku kształcił się sam Mikołaj Kopernik, o którym nieco więcej powiemy sobie za chwilę. Spłynąwszy bowiem z Kujaw nieco ku północy – gdy Wisła bierze teraz ogromnym łukiem kurs ku Bałtykowi, w prawo – zbliżamy się do potężnego obwarowania miasta Torunia, miejsca kopernikowych narodzin.

Żeby było zabawnie, jednoczesnym skojarzeniem, jakie się nasuwa z Toruniem i nazwiskiem Mikołaja Kopernika, jest ... piernik. Nie umiem powiedzieć, w jakiej mierze jest to specjalność polska, natomiast wiadomo, iż Toruń słynął z ich produkcji od setek lat. Szczególnie przed trzema wiekami rozwinął się tu przemysł pierników ozdobnych, wytłaczanych w specjalnych formach drewnianych (zresztą dużo wcześniejszej prowenienсji jako narzędzia) na kształt płaskich rzeźb, ukazujących świetne damy, rycerzy, karoce, herby i inne bogate, barokowe obiekty. Ktoś też ostatnio wpadł na doskonały pomysł, by wedle tych właśnie zabytkowych matryc powielać – w wypalanej glinie i innych tworzywach – dekoracyjne „pierniki na ścianę", bo też i tamte autentyczne, jadalne, także często zostawały pamiątką ku uciesze oczu a nie podniebienia. Oczywiście, mnóstwo rodów toruńskich miało swoje własne, pilnie strzeżone tajemnice wypieku, a zwłaszcza przyrządzania ciasta, wonnego i „w ustach się rozpływającego", niemniej, bez sekretów wyższego rzędu, podam zasadnicze proporcje składników tego nadwiślańskiego smakołyku.

Bierzemy tedy – proszę notować! – 125 jednostek (licząc wagowo) mąki pszennej, 40 cukru dobrego, 25 miodu jak najaromatyczniejszego, 5 do 10 tłuszczu, np. masła,

everybody yearns for trees," as the old saying goes, for although pine logs are constantly floated down the river to Włocławek, the land around it only knows the plough and agricultural crops.

It is no wonder that such a richly endowed region also provided excellent conditions for the development of various branches of learning. Several hundred years ago the Renaissance astronomer Nicolaus Wodka, who had a professorship in Bologna, returned to his native land to work in Włocławek. The cathedral school there was attended by the great Nicolaus Copernicus – of whom more later, for we are now continuing on our way, turning slightly northwards. The Vistula describes a wide arc here, setting course for the Baltic Sea. On our right we see a strongly fortified town, Toruń, the birthplace of Copernicus.

It is a rather amusing thing that, on hearing the name Toruń we immediately associate it with Copernicus and. . . honey-cakes. I am not sure to what extent this is a Polish speciality, but one thing is certain – Toruń has been famed for its honey-cakes for centuries, in particular, the production of decorative honey-cake figures, which developed three centuries ago. These were made in special wooden moulds (of much earlier origin as household utensils), which gave the cakes the form of bas-relief representations of fine ladies, knights, carriages, coats-of-arms and other richly ornamented Baroque images. Recently someone had the bright idea of using these old moulds to make decorative "honey-cakes" of clay and other materials to hang on the wall, for the authentic, edible ones were often kept as a decorative element instead of being eaten. Of course, many Toruń families had their own special recipes (a carefully guarded secret) for making these aromatic cakes that "melt in your mouth", but without these secrets of higher initiation, I can give the basic proportions and ingredients of the ordinary recipe for this delicacy from the banks of the Vistula.

Here it is: 125 units (in weight) of wheat flour, 40 of sugar, 25 of honey, the more aromatic the better, 5 to 10 of fat, butter for

NARODOWY BANK POLSKI
1000
TYSIĄC ZŁOTYCH
1000
Mikołaj Kopernik
TORUŃ

jaja ze dwa i karmelu dla barwy 2 łyżki, łyżkę przypraw – goździków, cynamonu i muszkatołowej gałki – i 1 żółtko do posmarowania potem całości. Cukier przyrumienia się nad ogniem, wlewa w to nieco wody, a następnie drobno utłuczone przyprawy korzenne dodaje wraz z przetopionym tłuszczem, cukier gorącym karmelem zalany przydaje w następnej kolejności; po jego rozpuszczeniu wlewamy miód, całość zagotowujemy, gdy zaś ostygnie, sypiemy mąkę drobniutko przesianą, wbijamy jaja, znowu nieco tłuszczu i na oprószonej mąką desce zaczynamy owo ciasto macerować, ugniatać, wałkować i miętosić. Wszystko to w możliwie obfitej ilości, należy – jak poucza toruńska tradycja sprzed wieków – uczynić w dniu narodzenia córki. Dlaczego akurat córki? Ano z tego powodu, iż gdy dziewczę będzie szło za mąż, to krótko przed weselem ciasto, czekające kędyś w piwnicznym chłodku, dobywa się i na wysmarowanych dobrze masłem, suto mąką wysypanych blachach kładzie porcjami (mogą to być właśnie porcje wytłoczone starodawną formą) i piecze się, aż piernik przybierze ciemnobrązowy, soczysty kolor, aż rozejdzie się zapach boski!

Przechodząc od toruńskiej osobliwości do toruńskiej chluby, a więc do Mikołaja syna Mikołaja, kanonika fromborskiego, doktora praw i medycyny, astronoma Kopernika, musimy, obowiązkiem wszystkich turystów, stanąć pod gotyckim domem, gdzie geniusz ów przyszedł na świat. Stary Orgelbrand w swej encyklopedii pięknie rzecz określił: „astronomia stała, póki stała Ziemia, wraz z Ziemią się poruszyła". Oczywiście to najważniejsze z dzieł uczonego, a więc jego – na łożu śmierci dopiero przez autora drukiem zobaczone – *De revolutionibus orbium coelestium* przytłacza sobą wszelkie niemal inne poczynania Kopernika. Jednakże warto pamiętać, że m.in. w roku 1526 „król poruczył mu wypracowanie wniosków do poprawy rzeczy menniczej w Polsce [król Zygmunt Stary Jagiellon]", rezultatem czego była praca *Optima monetae cudendae ratio*, gdzie zawiera się, przebadana niezwykle, jak byśmy dziś powiedzieli, awangardowymi środkami reguła wypierania z rynku pieniądza wartościowszego przez pie-

instance, two eggs and 2 spoonfuls of caramel to give the cake a good dark colour, one spoonful of mixed spices – cloves, cinnamon and nutmeg – and one egg yolk to brush on the cake while baking to give it a shiny finish. First heat the sugar in a pan till it is golden brown and add a little water. Mix the spices (finely ground) with melted fat, pour the hot caramel on the sugar and when it is dissolved add the honey and bring these ingredients to the boil. Leave till cool, then beat in eggs and add sieved flour a little at a time and also a little more fat. Turn mixture out onto floured pastry board and knead, pressing, squeezing, slapping it into dough. All this should be done – in as large a quantity as possible – on the day your daughter is born. Why daughter, you ask? Ah, that's because when the daughter is going to get married, a few days before the wedding, the dough is brought up from the cellar where it has been kept in the cool and divided into portions that are put in well greased and floured baking tins (the portions can be fashioned in the old Toruń moulds) and baked until they are a rich, dark brown and a divine aroma fills the kitchen!

Passing from Toruń's speciality to the pride of Toruń, Nicolaus, son of Nicolaus, canon of Frombork, Copernicus, doctor of law and medicine, and astronomer. So we stand, as every tourist worth the name will stand, before the Gothic house where this genius first saw the light of day. Old Orgelbrand writes this delightful interpretation in his *Encyclopaedia:* "Astronomy stood still as long as the Earth stood still and moved when the Earth started moving." Of course, the most important work of Copernicus, that he was only to see in print on his deathbed – his *De revolutionibus orbium coelestium* – overshadows almost everything else Copernicus ever did. But it is worth remembering that in 1526 "the king entrusted him with the task of elaborating suggestions for improving Poland's coinage" (King Sigismund the Old of the Jagiellon dynasty), which resulted in his work *Optima monetae cudendae ratio,* containing what we should today call an avant-garde approach to the principle of more valuable money being ousted from the market by inferior money. Now that we have an inflow of

niądz lichszy. Obecnie, gdy mamy błyskawicznie elektronowy przepływ wszelkich informacji audiowizualnych, kiedy możemy przenosić się szybciej niż dźwięk z miejsca na miejsce, aparatury zaś zdejmują z uczonych ogromny trud budowania narzędzi własnymi dłońmi, nikt nie dorównuje postaciom typu Kopernika w ich wszechstronności i mnogości dokonań... Może i to pasuje do jego monetarnej teorii? Zamówienia, jak od króla polskiego, płynęły doń zewsząd, ale tylko o jednym niespełnionym dowiadujemy się z dokumentów: „[Kopernik] był wezwany na sobór lateraneński r. 1514 dla poprawy kalendarza, ale nie mając wykończonych rachunków co do oznaczenia długości roku zwrotnikowego, na sobór ten się nie stawił", w tym zaś czasie powołano go jako deputowanego na sejmik w Grudziądzu, gdzie wśród sporów granicznych z Zakonem Krzyżackim (nieco szerzej o Krzyżakach, gdy dobijemy do Malborka) jednocześnie „popierał wniosek komisarzy królewskich porównania monety pomorskiej z polską", czyli ujednolicenia ówczesnych „kursów giełdowych". Zarazem ani na chwilę nie przerywał intensywnej praktyki lekarskiej, Włocławkowi – pono – sprokurował wspaniały katedralny zegar słoneczny, prowadził szeroką korespondencję oraz ożywione „życie towarzysko – naukowe" z całym zastępem renesansowych mędrców, nie ustając jak wiadomo, przy wznoszeniu największego gmachu swej genialnej astronomicznej tezy, przekreślającej błąd Ptolemeusza. Miejmy też na uwadze wyjątkowo drażliwą sytuację wobec, na tymże geo- i antropocentrycznym spojrzeniu bazującego, Kościoła, a więc instytucji, której Kopernik był niemal szeregowym członkiem jako duchowny prowincjonalnej placówki. Nie wiele pomagały zabezpieczenia w postaci zastrzeżeń o hipotezie, o „poprawkach" jedynie do istniejących oficjalnie przekonań; los Galileusza i straszna śmierć Giordana Bruna w płomieniach stosu podkreślają grozę sprawy, i dedykowanie księgi papieżowi Pawłowi III nie ustrzegło przecież dzieła od napiętnowania przez kler, od wciągnięcia na *Index librorum prohibitorum – Listę ksiąg zakazanych* przez Kościół, skąd do-

all kinds of information at lightning speed by electronic audiovisual media, when we can be transported from place to place at a speed faster than sound, and apparatus relieves scholars from the necessity of building instruments with their own hands, nobody can equal men of Copernicus' kind as regards versatility and the number of his achievements... Perhaps this bears out his monetary theory? Copernicus received many commissions of the kind entrusted to him by the king, but from written records we only know of one that he did not fulfil: "He [Copernicus] was summoned to the Lateran Council in 1514 to improve the calendar, but as he had not completed the calculations necessary to establish the length of the tropical year he did not present himself at that Council." At the very same time he was appointed deputy to the local Seym in Grudziądz, where amid frontier disputes with the Order of the Teutonic Knights (more about the Teutonic Knights when we get to Malbork) he also "supported the motion of the royal commissioners for comparison of the Pomeranian coinage with that of Poland", or in other words making the "rates of exchange" of those times uniform. And all the time he was working continuously in his busy medical practice. It is said that he constructed the magnificent cathedral sundial in Włocławek. He also had lively social and scientific contacts with a large number of Renaissance scholars and in addition to all this he never stopped working on his sensational heliocentric theory, proving Ptolomy's view to be wrong. We should also bear in mind his exceptionally difficult situation in relation to the Church with its geo- and anthropocentric views, for Copernicus was a provincial member of the clergy. Such ways of safeguarding himself as reservations that this was only a hypothesis, that he was only making "corrections" to the existing official convictions were not much help; the fate of Galileo and Giordano Bruno's terrible death by burning at the stake were fearsome examples of what threatened him. The fact that he dedicated his work to Pope Paul III did not prevent it from being condemned by the Church and included in the Church *Index librorum prohibitorum* – the list of banned

piero (nie wiele się o tym fakcie mówi...) została wykreślona w ubiegłym stuleciu. Bo też posłuchajmy, co o modelu hieliocentrycznym pisze ksiądz Benedykt Chmielowski na kartach swojej „encyklopedii" pt. *Nowe Ateny – albo Akademia wszelkiej sciencyi pełna, Mądrym dla memoryału, Idiotom dla Nauki etc.* Pisze to w dwieście lat po śmierci Kopernika, mając swe teksty przychylnie przez kościelne władze przyjmowane, pisze w epoce, którą skądinąd nie bez przyczyny nazywamy wiekiem Oświecenia, gdy we Francji już ogłoszono Wielką Encyklopedię, gdy i w Polsce nauka jęła osiągać światowy, czasem wręcz prekursorski poziom. Przeczytajmy: „Copernicus [...] trzymał takowe sistema, że okrąg ziemi koło słońca bieg swój odprawuje, którą sentencję zakazała była Stolica Apostolska, iż przeciw Pismu Świętemu. Ale tych wieków chwytają się jej niektórzy..." – A o ludziach, nie zgadzających się z kościelnymi wskazówkami powiada Chmielowski, że „ubyłoby ich, gdyby ognia, mieczów nie żałowano dla nich!" No, ale to szczęściem dawne już sprawy, ostatni proces i spalenie czarownicy odbyły się na naszej ziemi w dobie owego „encyklopedysty", ale później sprawy ruszyły ku lepszemu.

Jesteśmy zatem w Toruniu. W odróżnieniu do poznanych poprzednio miast, przybysz odczuwa wyraźnie inny wiew historii, niejako inną aurę, bo też w istocie: od bez mała trzynastego wieku gród ten położony na dogodnym szlaku lądowym i wodnym przyciągał osadników zewsząd, nawet z dalekiej Westfalii i Flandrii, gdy zaś we wczesnym średniowieczu dostał się pod bezpośrednie wpływy zakonu krzyżackiego *(Ritter des Deutschen Ordens)*, wynikły z kosmopolitycznej struktury styl, czy raczej wielostylowość – nadaje Toruniowi rys zbliżony do miast Europy północno-zachodniej. Stąd monumentalne gotyckie budownictwo z czerwonej cegły, stąd siedziba przesławnej Hanzy w centrum solidnie ufortyfikowanego miasta, stąd bogate acz ciężkie w sylwetach domy międzynarodowego kupiectwa. Tu słyszało się wszystkie języki ówczesnego świata; Henryk Sienkiewicz – jeden z gromadki polskich laureatów Nobla, tak

books (a fact that is not often mentioned) and this ban was not lifted till the last century. Let us see what Father Benedykt Chmielowski writes about the heliocentric system in his encyclopaedia with the long title *New Athens, or Academy of all the Sciences. A Chronicle for the Wise, and for the Edification of Idiots, etc.* He published it two hundred years after the death of Copernicus and his texts were favourably looked upon by the church authorities. And he wrote it in an epoch that not without cause is called the Age of Enlightenment, when in France the *Great Encyclopaedia* had been published and when in Poland science was of the world standard, in some cases precursory. Father Chmielowski writes: "Copernicus. . . proclaimed a System that the Earth revolves round the sun, a dictum that the Apostolic Capital banned because it was a contradition of the Holy Scriptures. But in this age some are taking up this idea. . ." And referring to people who did not agree with the instructions of the Church, Chmielowski says: "There would be less of them if fire and sword were not stinted for them!" But fortunately those times are far behind us, and the last trial and burning at the stake of witches in Poland was in the times of that "encyclopaedia writer", after which things changed for the better.

So here we are in Toruń. As distinct from the towns we have visited so far, anyone arriving in Toruń feels a different historical atmosphere, a different air about the place. And indeed, more or less from the 13th century onwards this town, situated on a convenient land and water route, attracted settlers from elsewhere, even from distant Westphalia and Flanders, and when in the Middle Ages it came under the direct influence of the Teutonic Knights *(Ritter des Deutschen Ordens)* this cosmopolitan structure resulted in a style, or rather many styles which gave Toruń features resembling the towns of north-western Europe. Hence the monumental Gothic buildings of red brick, hence the seat of the famous Hanseatic League in the centre of the solidly fortified town and the rich, though rather massive looking houses of the international merchants. All the languages of the mediaeval world were heard in Toruń. Henryk

pisze w powieści *Krzyżacy* (gdzie stary rycerz opowiada o Zakonie):

„Nie sami też między nimi Niemcy, bo co jest narodów na świecie, to u Krzyżaków służy. A chrobre są! Nieraz pochyli się rycerz, kopię przed się wyciągnie i sam jeden, jeszcze przed bitwą, w całe wojsko bije jak jastrząb w stado. – Christ! – zawołał Gamroth – którzy też z nich najlepsi? – Jak do czego. Do kuszy najlepszy Angielczyk, któren pancerze na wylot strzałą przedziejě, a gołębia na sto kroków utrafi. Czechowie okrutnie toporami sieką. Do dwuręcznego brzeszczota nie masz nad Niemca. Szwajcar rad żelaznym cepem hełmy tłucze, ale najwięksi rycerze są ci, którzy z francuskiej ziemi pochodzą. Taki będzie ci się bił z konia i piechotą, a przy tym będzie ci okrutnie waleczne słowa gadał, których wszelako nie wyrozumiesz, bo to jest mowa taka, jakoby kto cynowe misy potrząsał, chociaż naród jest pobożny."

Toruń, dziś miasto uniwersyteckie (imienia Mikołaja Kopernika oczywiście), grubo ponad stutysięczne, zaleca się tyle porządkiem, ile kapitalną kolekcją zabytków, wśród których szczególną uwagę przyciąga tutejsza Krzywa Wieża, niższa od pizańskiej, lecz nie mniej frapująca, bo od razu skośnie zbudowana. Najbardziej wszakże imponujące są kościoły Torunia – wspaniałe gotyckie świątynie – Marii Panny, Św. Jana, Św. Jakuba,

Sienkiewicz – one of Poland's many Nobel Prize winners – writes as follows in his novel *The Teutonic Knights* (where an old knight speaks of the Teutonic Order): " 'There are not only Germans among them, for people of all the nations of the world serve the Teutonic Knights. And they're valiant warriors. More than once I've seen a knight bend forward, holding his spear in front of him and charging straight into a whole army formation, like a hawk into a flock.' 'Christ!' said Gamroth, 'which of them are the best?' 'It depends. The English are the best with cross-bows, they can shoot right through armour and can hit a pigeon at a distance of a hundred steps. The Czechs are devils with the axe. There are none better than the Germans with two-handed swords. The Swiss can split helmets with their iron war flails, but the best knights are those from the land of the French. They will fight on horseback or in the infantry all the while emitting terrible war-cries that you don't understand anyway, because their language sounds like someone beating a tin bowl, although it is a pious nation!' "

Toruń, today a university town (the university is naturally named after Nicolaus Copernicus) with a population of well over a hundred thousand, is noted both for its trim appearance and its fine collection of historic buildings, among which the Leaning Tower – not so tall as the famous tower of Pisa, but no less interesting as it

a w ogóle trudno tu wybrać obiekt górujący nad innymi, skoro mamy tak wiele przepysznych kościołów, murów, gmachów, bram, baszt i wież, zdobionych przez wieki i olśniewających swą różnorodnością. Tu trzeba po prostu przyjechać i bez pośpiechu, a z podziwem ogromnym zwiedzać ów ponad osiemsetletni nadwiślański gród. Co tyczy samej rzeki, polecam specjalnie jej widok w obramowaniu ostrołuków wyciętych w grubym obronnym murze, gdzie daleka zieleń drzew i migocąca w południe milionem iskier Wisła stanowi obraz niepowtarzalnie piękny.

Skoro znaleźliśmy się wraz z falami rzeki w krainie niebacznie od XIII wieku udostępnionej Zakonowi, który z chwilowego sojusznika przeciw ówczesnym atakom Litwinów i Prusów (nie mylić z Prusakami!) stał się sąsiadem najuciążliwszym i najzachłanniejszym, a przy tym ciężkozbrojnym i bezpardonowym, skoro tedy wpłynęliśmy na tereny niegdyś do „Teutońskiego Zakonu Marii Panny" należące, suńmy ku stolicy groźnych przybyszów, ku Malborkowi.

Po drodze jednak, tam gdzie rzeka bierze ostry skręt w prawo, powinniśmy bodaj na krótko spojrzeć na pobliskie miasto, o kilka ledwie kilometrów od Wisły nad jej dopływem Brdą leżące – Bydgoszcz. My ją sobie, z uwagi na kilka kanałów przerzynających zabudowę, zwiemy Wenecją Północy, nie mając pewności, czy ktoś Wenecję zwie Bydgoszczą Południa. I Bydgoszcz również jak Sando-

was built leaning – is a chief attraction. The most impressive are the churches, the magnificent Gothic edifices of St. Mary's, St. John's and St. James'. To tell the truth, it is very difficult to point to any one building that is more beautiful than the others, for there is such an abundance of splendid old churches, walls, gates, turrets and towers, embellished through the ages and fascinating in their variety, and to really enjoy Toruń, one should go there, leaving oneself plenty of time to wander round and admire all the beauties of this more than eight-hundred-year-old town by the Vistula. And if you want to get a wonderful view of the Vistula from the town, I suggest that you look at it, framed by the pointed arches cut in the thick defence wall; the distant greenery and the water sparkling in the midday is a sight to remember.

As the Vistula has brought us into the land that in the 13th century was imprudently opened to the Teutonic Order, that from the moment of the temporary alliance to ward off the attacks of the Lithuanians and Pruthenians (not to be confused with the Prussians) became our most troublesome and rapacious neighbour, in addition, heavily armed and merciless in attaining their ends, let us move on in the direction of the capital of these menacing incomers – Malbork.

But on our way, at the place where the river bends sharply to the right, we should take at least a short look at a town only a few kilometres from the Vistula, on its tributary the Brda, namely, Bydgoszcz. Because several canals cut

mierz, Kazimierz Dolny, Włocławek czy Płock zawdzięcza swą poważną rolę w dawnej Polsce królowi Kazimierzowi Wielkiemu. Jeśli obok innych przydomków zwano monarchę także „królem chłopów" z uwagi na wyjątkowe zainteresowanie losami tej warstwy społecznej, nie brało się to bynajmniej z samej czułości serca (inne zresztą mieli ludzie serca w dawnych epokach i tenże władca kazał m.in. swego dawnego przyjaciela, Macka Borkowica, gdy odkryto spisek, zamknąć do piwnicy na śmierć głodową!). Szło w kwestii chłopów o dobrze zrozumiane korzyści krajowe, o siłę rolniczą, o zbożowy towar Wisłą spławiany dla rozległego handlu. W Bydgoszczy *notabene* dochodziła jeszcze sól, nie kopalna jak w Wieliczce, ale odparowana z okolicznych słonych źródeł (niezbyt daleko stąd działa przecież uzdrowisko solankowe, sławny w kraju i za granicą Ciechocinek). Miasto jest tedy stare i dawnymi składami, spichlerzami, kantorami handlowymi zasłużone wielce, toteż niepowetowane są szkody, jakie w roku 1871 Prusacy, burząc serię starodawnych zabytków budowlanych, wyrządzili Bydgoszczy.

Wreszcie historia najnowsza. W początkach września 1939 roku hitlerowscy dywersanci usiłowali bezskutecznie opanować Bydgoszcz. Po wkroczeniu Niemców w odwet za patriotyczną postawę ludności odbyła się krwawa masakra i rozstrzeliwanie na Starym Rynku. Ilość ofiar w czasie okupacji wyniosła ok. 36,5 tysiąca mieszkańców.

through the town, we call it the Venice of the North, but I'm not certain if anyone has ever called Venice the Bydgoszcz of the South. Anyway, Bydgoszcz, like Sandomierz, Kazimierz Dolny, Włocławek and Płock, owes its important role in old Poland to King Casimir the Great. If, apart from other cognomens, this monarch was also called "the king of the peasants", due to his special interest in this social stratum, this was certainly not only a matter of tender feelings towards them (in those old days people's hearts were not so tender, for the same monarch had his former friend, Maćko Borkowic, shut up in a dungeon to die of starvation when he discovered he had plotted against him). Casimir's concern for the peasants was in the well understood interests of the country, in a strong agriculture, and grain transport down the Vistula for extensive trade. *Nota bene,* Bydgoszcz also contributed salt, not the rock salt extracted from the Wieliczka mine, but panned from the nearby saline springs (not far from Bydgoszcz is the spa of Ciechocinek famed for its saline springs in Poland and abroad). So Bydgoszcz, with its old warehouses, granaries and trade exchanges, rendered great services to the country and it is a very regrettable fact that many of its old historic buildings were destroyed by the Prussians in 1871. Then, in early September 1939, Nazi saboteurs tried without success to master the town, and when the German troops entered the city, in revenge for the inhabitants' patriotic attitude, a shocking massacre took place in the Old Market Place. During the Nazi occupation the total number of victims was about 36,500 inhabitants.

Niemal jedyną pozytywną rzeczą, jaką przyniosły – już od 1773 roku tu zaistniałe – rządy pruskie, jest zbudowany przez Fryderyka II (zresztą w oparciu o dawniejsze polskie projekty) kanał między rzekami Brdą, Notecią i Wartą, co połączyło nawigacyjnie dorzecze Wisły i Odry. Potem przyszły dalsze przebudowy tego szlaku i dziś w efekcie można wodami śródlądowymi przepłynąć z ZSRR przez Polskę do NRD i dalej.

Trzymając się obecnie kursu Nord-Ost mijamy bez mała tysiącletnie, hanzeatyckie, wyrobem sukna słynne Chełmno po lewej, a za nim chlubiący się niegdyś kawalerią i spiskiem antykrzyżackim („Związkiem Jaszczurczym") Grudziądz po prawej – suniemy ku północy, by wreszcie zbliżyć się do pełnego posępnej sławy Malborka, po niemiecku Marienburgiem zwanego. Tu właśnie było główne niezdobyte gniazdo Teutońskiego Zakonu Marii Panny. *Ex luto Marienburg* – „z błota Malbork" mawiali dawni Polacy, sami będąc raczej zwolennikami murów z kamienia, podczas gdy krzyżacka twierdza wzniesiona została z gliny, czyli cegły.

Biorąc rzecz ściśle, forteca ta nie leży nad Wisłą właściwą, gdyż rzeka, wpłynąwszy blisko Bałtyku na nizinne, a niebawem wręcz depresyjne tereny, rozwidla się w rozległą deltę. Dwa wszakże jej główne nurty, to idąca dalej prosto ku północy Wisła (u samego prawie ujścia w morze mająca odnogę – Motławę) i otoczony mnóstwem drobniejszych żył wodnych, nieco na wschód odchylony Nogat, zmierzający ku Zalewowi Wiślanemu. Nad Nogatem właśnie trwa Malbork, dawniej też Malborgiem i Marienburgiem pisany .

Sienkiewicz w tychże *Krzyżakach* opisuje poselstwo pod przywództwem Zyndrama z Maszkowic, jakie u progu wielkiej i zasadniczej wojny z Zakonem odprawiali rycerze polscy do Wielkiego Mistrza kongregacji, prowadzący zaś posłów Krzyżacy umyślnie Nogatem podpłynęli pod ceglane bastiony (początek XV wieku):

„...sam widok Malborga mógł przejąć trwogą serce każdego Polaka, albowiem z twierdzą ową, licząc Wysoki Zamek, Średni i Przedzamcze. żadna inna w całym świecie nie mo-

About the only good thing brought by Prussian rule – from 1773 – was the construction by Frederick II (on the basis of previous Polish plans) of a canal linking the rivers Brda, Noteć and Warta, which made navigation possible between the Vistula basin and the River Odra. Later this water route was further expanded and today one can travel by inland waterways from the USSR, through Poland to the German Democratic Republic and even farther.

Maintaining our present north-east course we see on our left the nearly thousand-year-old Hanseatic town of Chełmno, well known for its cloth, and farther on to the right – Grudziądz, once famous for its cavalry and resistance to Teutonic oppression (the secret "Salamander Society"). Then farther north, we approach the grim fortress town of Malbork, called Marienburg by the Germans. Here the Teutonic Order of St. Mary had its notorious, unconquerable citadel. *Ex luto Marienburg* – Malbork built of mud – was the name given to it by the Poles of olden days, who were more in favour of build ing in stone, whereas the Teutonic fortress castle was built of clay, or in other words, brick.

Strictly speaking, this fortress is not right on the banks of the Vistula proper, for the river, flowing into lowland country, and later nearer the sea into the very low lying fens, forks out forming an extensive delta. One main arm is the Vistula flowing straight to the north (with another arm – the Motława – branching off just before its mouth); the other is the Nogat with numerous water veins surrounding it, which flows towards the Vistula Lagoon. Malbork (formerly spelt Malborg) is on the Nogat.

In his novel *The Teutonic Knights,* Sienkiewicz describes the visit of Polish envoys, led by Zyndram of Maszkowice, to the Grand Master of the congregation just before the fundamental war against the Order. The Teutonic Knights leading the envoys to the fortress deliberately chose the approach from the Nogat, their boats passing right under the massive brick-built towers (early 15th century):

"The very sight of Malbork castle was enough to strike terror into the heart of every Pole, for this fortress, with its Upper, Middle and Lower Castles, was something that was absolutely in-

gła się nawet w przybliżeniu porównać. Już z dala, płynąc Nogatem, ujrzeli rycerze potężne baszty rysujące się na niebie. Dzień był jasny i przezroczy, więc widać je było doskonale, a po niejakim czasie, gdy szkuty zbliżyły się, jeszcze bardziej rozbłysły szczyty kościoła na Wysokim Zamku i olbrzymie mury piętrzące się jedne nad drugimi – w części barwy ceglanej, przeważnie jednak pokryte ową słynną szarobiałą zaprawą, którą przyrządzać umieli tylko murarze krzyżaccy.

comparable with any other in the world. From afar, as the Polish knights were approaching it along the Nogat, they could see the massive watch-towers silhouetted against the sky. It was a fine, clear day, so it was distinctly visible and after a time, as the boats drew nearer, the bright spires of the church of the Upper Castle and the massive walls – partly brick-red, but mostly covered with the greyish-white plaster that only the Teutonic builders knew how to make – rising one above the other emerged

Ogrom ich przewyższał wszystko, co w życiu widzieli polscy rycerze. Zdawać się mogło, że tam gmachy wyrastają na gmachach, tworząc w nizinnym z natury miejscu jakby górę, której szczytem był Stary Zamek, a stokami – Średni i rozłożyste Przedzamcze. Biła od tego olbrzymiego gniazda zbrojnych mnichów moc i potęga tak nadzwyczajna, że nawet długa i zwykle posępna twarz Mistrza wypogodziła się nieco na ów widok – Ex luto Marienburg – z błota Marienburg – rzekł zwracając się do Zyndrama – ale tego błota moc ludzka nie pokruszy. – Zyndram nie odpowiedział – i w milczeniu obejmował oczyma wszystkie baszty i ogrom murów wzmocnionych potwornymi skarpami. A Konrad von Jungingen dodał po chwili milczenia: – Wy, panie, którzy się na twierdzach znacie, cóż nam o tej powiecie? – Twierdza widzi mi się nie do zdobycia – odrzekł w zamyśleniu polski rycerz – ale... – Ale co? Co w niej możecie przyganić? – Ale każda twierdza może zmienić panów. Na to Mistrz zmarszczył brwi".

Straszliwie dał się polskim sąsiadom we znaki, i Litwinom nie przepuszczając, zakon Marii Panny. Nie miejsce tu na pełniejszy wywód historyczny, wystarczy napomknąć, iż przypuszczony do skrawka ziemi polskiej związek zbrojnych mnichów opanował – krwawy krok po kroku, ogniem i mieczem – ogromne tereny (Pomorza i jego sąsiedztwa, dzisiejszych Mazur) i stanowił stałe zagrożenie północnych granic Polski. Po wielu latach zmagań doszło wreszcie do zasadniczej konfrontacji, wkrótce po opisanym tu poselstwie, kiedy (przeprawione po niespodziewanym moście pod Czerwińskiem) poszły polskie, litewskie, sprzymierzone wielkoruskie, czeskie i nawet tatarskie zhołdowane siły na północ, w głąb krzyżackich dziedzin, latem 1410 roku. Nastąpiła – tak przełomowa, jak na Zachodzie pod Azincourt – straszliwa bitwa pod wioską Grunwald, opodal Tannenbergu, 15 lipca. Siły polsko-litewskie wraz z oddziałami pomocniczymi zajęły rubież lasu, krzyżackie zaś posiłkowane mrowiem zachodniego rycerstwa, stanęły naprzeciw na rozległym polu. Król Władysław Jagiełło zwlekał, mając wciąż nadzieję, całkiem bezpodstawną, że

with greater clarity. In its sheer immensity it surpassed anything the Polish knights had seen in their lives. The buildings seemed to grow out of each other, forming a sort of mountain rising from the surrounding lowlands, with the Old Castle as its peak and the Middle and Lower Castles as the mountainsides. This gigantic fortress of the monks created the impression of such exceptional strength and power that even the sombre face of the Grand Master brightened at the sight of it. 'Ex luto Marienburg,' he said, turning to Zyndram, 'but no human force will ever cause this mud to crumble.' Zyndram did not answer and silently his eyes took in everything, the watch-towers, the massive walls strengthened by monstrous buttresses. Then Conrad von Junginen, after a moment of silence, added, 'You, sir, as one versed in the art of fortification, what do you say to this?' And the Polish knight said thoughtfully, 'It seems to me it is a fortress that cannot be taken, but. . .' 'But what? What fault do you find with it?' asked the Grand Master. 'But every fortress can change hands.' Which remark caused a frown to appear on the Grand Master's brow."

The Teutonic Order of St. Mary was a terrible trial to its Polish neighbours, and to the Lithuanians too. This is not the place to give a fuller historical picture, suffice it to say that when allowed into a small piece of Polish territory, this order of armed monks, step by step, with fire and sword, leaving a trail of bloodshed behind them, seized a vast area (Pomerania and the neighbouring lands today known as Mazury) presenting a constant threat to Poland's frontiers in the north. After many years' struggle the decisive encounter came shortly after the previously described mission of Polish envoys, when (having crossed the river by the pontoon bridge near Czerwińsk and taken the enemy by surprise) the Polish and Lithuanian army, supported by allied Ruthenian, Bohemian and even tributary Tartar forces, marched northwards into Teutonic territory. In the summer of 1410 on 15 July, a terrible and momentous battle was fought near the village of Grunwald, not far from Tannenberg, which might be compared to the battle of Agincourt in the West. The Polish-Lithuanian army with its supporting forces took

nadjedzie poselstwo pokojowe, hołdownicze może, ujrzano jednak innych parlamentariuszy: okutych ciężkimi blachami rycerzy w białych, czarnym krzyżem znaczonych płaszczach, którzy na drwinę, jakoby lękającym się konfrontacji zbrojnej przeciwnikom przywieźli w podarku, by ośmielić lękliwych do boju, dwa nagie miecze...

„Ostatnie nadzieje Jagiełły – pisze za kronikarzem Długoszem Henryk Sienkiewicz – rozwiały się jak dym. Spodziewał się poselstwa zgody i pokoju, a tymczasem było to poselstwo pychy i wojny . Więc wzniósłszy załzawione oczy do góry tak odrzekł: – Mieczów ci u nas dostatek, ale i te przyjmuję jako wróżbę zwycięstwa, którą mi sam Bóg przez wasze ręce zsyła..."*

I stało się. Z polskich szeregów buchnęła wnet (najstarsza z zachowanych do dziś w oryginalnym zapisie) pieśń religijno-bojowa *Bogurodzica Dziewica, Bogiem sławiena Maryja* – odpowiedział im chorał krzyżacki *Christ ist erstanden* – i zaczęła się walka.

up positions on the outskirts of the forest and the Teutonic forces, reinforced by many knights from the West, were aligned opposite them in the open field. King Ladislaus Jagiello delayed the moment of attack, hoping (an unfounded hope) that the Teutonic Order would send envoys to negotiate a peace, or perhaps to swear allegiance. But the envoys they saw were not carrying the flag of truce; they were knights in heavy armour and white cloaks marked with the black cross, bearing, as though in mockery of opponents who, they alleged, feared an armed encounter, two bared swords as a gift to encourage the faint-hearted to fight. . .

"Jagiello's last hopes," writes Sienkiewicz after the chronicler Długosz, "were shattered. He expected envoys of agreement and peace but beheld arrogant envoys of war. Raising his tear-filled eyes to the heavens, he said: 'We do not lack swords, but I will accept these as a sign of victory that God has seen fit to send to me by your hand.' " These old swords had been preserved as a precious memento for over 400 years, until in the 19th century some thickheaded tsarist police superintendent decided they were a dangerous weapon in Polish hands and confiscated them.

And so it was to be. The religious song *Mother of God yet virgin, Blessed by the Lord Maria,* sung by knights going into battle (the oldest that has survived to this day in the original manuscript), burst from the throats of the Polish ranks, to be answered by the Teutonic chorale *Christ ist erstanden.* And the battle began. Fier-

Straszliwe zmagania trwały niemal do zachodu słońca, aż „bitwa zmieniła się w rzeź i pościg. Kto nie chciał się poddać, zginął. Wiele bywało w owych czasach na świecie bitew i spotkań, ale nikt z żywych ludzi nie pamiętał tak straszliwego pogromu. Padł pod stopami wielkiego króla nie tylko Zakon krzyżacki, ale i całe Niemcy, które najświetniejszym rycerstwem wspomagały oną «przednią straż» teutońską, wżerającą się coraz głębiej w ciało słowiańskie. – Z siedmiuset «białych płaszczów» przodujących jako wodzowie tej germańskiej powodzi zostało ledwie piętnastu. Czterdzieści przeszło tysięcy ciał leżało w wiekuistym śnie na onym krwawym boisku. – Rozliczne chorągwie, które w południe jeszcze powiewały nad niezmiernym wojskiem krzyżackim, wpadły wszystkie w krwawe i zwycięskie ręce Polaków. Nie ostała, nie ocaliła się ani jedna i oto rzucali je teraz polscy i litewscy rycerze pod nogi Jagiełły [...]. – Cała armia krzyżacka przestała istnieć. Pogoń polska zdobyła też ogromny obóz krzyżacki, a w nim, prócz niedobitków, nieprzeliczoną ilość wozów wyładowanych pętami na Polaków i winem przygotowanym na wielką ucztę po zwycięstwie".

Od owego dawnego boju minęło lat pięćset bez mała, gdy w odbudowanych pieczołowicie przez cesarzy niemieckich potężnych salach malborskiego zamczyska zebrali się notable Rzeszy, aby wysłuchać groźnej, pełnej najsroższych inwektyw przeciw Polakom mowy kaisera Wilhelma II Hohenzollerna. Nic dziwnego, gdyż mimo wszelkie próby zgniecenia żywiołu polskiego w zaborze pruskim, siła tych niepokornych poddanych była tak wielka, że potrafiła skutecznie wypierać niemieckie spółki handlowe z rynku, wywierać wpływ na parlament berliński, utrzymywać zwarte, nieustępliwe zrzeszenia w Poznaniu i na Pomorzu wraz z Gdańskiem, słowem stwarzano tu największe przeszkody bismarckowskim planom hegemonii i wszechwładzy.

W tym to okresie powstała, niemal dorównując popularnością hymnowej pieśni *Jeszcze Polska...*, napisanej pośród Legionów Henryka Dąbrowskiego we Włoszech przed przeszło wiekiem przez Pomorzanina Wybickiego, in-

ce fighting raged all day, almost till sundown, when "the battle turned into a slaughter and pursuit. Those who would not surrender were killed. There were many battles and encounters in the world of those days, but nobody could remember such a crushing defeat. Not only the Teutonic Order lay beneath the feet of the great king, but all of Germany whose most valiant knights fought at the side of the 'Teutonic advance guard', a thorn going ever deeper into the side of the Slavs. Out of the seven hundred white-cloaked leaders of that Germanic deluge only fifteen remained. More than forty thousand bodies lay, sleeping the eternal sleep, on that blood-soaked battlefield. The numerous banners that at midday had still fluttered over the heads of the Teutonic army all fell into the bloody hands of the Poles. Not a single one of them had been saved, the Polish and Lithuanian knights threw them all at the feet of Jagiello. ... The whole Teutonic army had ceased to exist. The Polish knights in pursuit of the enemy had captured the huge Teutonic camp and, in addition to the few remaining survivors, they found innumerable waggons full of fetters for the Poles and wine to be drunk at the feast following victory."

Nearly five hundred years after that battle, in the huge chambers of the Malbork castle, painstakingly rebuilt by Prussian kings, the notables of the Reich gathered to hear the menacing speech of the Kaiser Wilhelm II of the Hohenzollern dynasty, full of the strongest invectives against the Poles. No wonder, for despite all efforts to stamp out the Polish element in the Prussian-ruled part of Poland, the strength of these unsubmissive subjects was so great that they had succeeded in ousting German trade companies from the market, exerting an influence on the parliament in Berlin and maintaining strong and inflexible associations in the Poznań region and in Pomerania, including Gdańsk, constituting the greatest obstacle to Bismarck's plans for an all-powerful hegemony.

It was in this period that another song – almost as popular as the anthem *While we live she is existing, Poland is not fallen* written by a Pomeranian Wybicki, almost a century earlier, with Henryk Dąbrowski's legions in Italy – was com-

na, nowa pieśń do słów poetki Marii Konopnickiej – *Rota*.

Nie rzucim ziemi, skąd nasz ród.
Nie damy pogrześć mowy,
Polski my naród, polski lud,
Królewski szczep piastowy!

Dziś rozświergotane wycieczki dzieci szkolnych z całej Polski biegają po malborskich gotyckich krużgankach, rozległe Podzamcze usiłuje odeprzeć inwazję samochodowych parkingów, zwodzony most obsadzili sprzedawcy lodów i turystycznych druczków, a pod „potwornymi skarpami" jest okropnie dużo śmieci i kupić można tu pocztówki oraz plastikowych Krzyżaków wielkości palca.

posed to Maria Konopnicka's poem *Rota* (Oath):

We'll not leave the land of our fathers,
Nor bury our mother tongue,
We're a nation of Poles, we're brothers,
Of the royal Piast tribe born!

Today, the Gothic cloisters of Malbork castle resound to the chatter of school children, the patter of little feet on a school outing, and the approaches to the Lower Castle are defending themselves from an invasion of car parks. The drawbridge is guarded by ice-cream men and people selling tourist guides and beneath the "monstrous buttresses" there is a fine collection of litter. You can buy postcards and plastic Teutonic Knights the size of a finger.

Jako się rzekło – zamczysko krzyżackie usytuowano nad wschodnią odnogą Wisły, Nogatem, główny zaś nurt rzeki sunie dalej na północ, przed samym ujściem do Bałtyku rozwidliwszy się jeszcze w Motławę na lewo, a tzw. Martwą Wisłę w prawo. Jeśli jeszcze dodamy dość gęstą sieć naturalnych i sztucznych linii wodnych rozprzestrzenionych w tym trójkącie, delta Wisły ukaże się nam niemal kopią Nilu.

Widoki tu jednak o wiele bardziej holenderskie, niż egipskie, nie tylko z uwagi na położenie geograficzne, lecz także z przyczyny obniżenia gruntu na sporych połaciach poniżej poziomu morza. Miejscami depresja ta sięga 1,8 metra i – tak jak w Niderlandach, – gleba tu wyjątkowo żyzna.

As we have already said, the castle of the Teutonic Knights is on the bank of the eastern arm of the Vistula, the Nogat. The mainstream, however, flows on northwards to the sea, and just before we come to its mouth, it forks out again – the Motława to the left and what is known as the Dead Vistula to the right. If we add to this the dense network of natural and artificial dikes and drainage canals in the triangle, the Vistula delta will be seen as almost a copy of the Nile.

But the scenery here is much more like Holland than Egypt, not only because of its geographical position, but also because of the low lying country, large areas of which are below sea level. In places it is one and a half metres below sea level and – as in the Netherlands – the soil is exceptionally fertile here.

Kiedy pierwszy raz zobaczyłem tę krainę, o żyzności nie mogło być jeszcze mowy, było to bowiem niemal nazajutrz po wojnie i krótko po zbrodniczym posunięciu hitlerowców: zerwali oni, uchodząc w popłochu przed nacierającą Armią Czerwoną i Wojskiem Polskim (szła tymi stronami także formacja naszych czołgów imienia Bohaterów Westerplatte, wsławiona już pod Studziankami), zerwali tamy kanałów i woda zalała okolice, które nazywamy Żuławami. Pejzaż to był niesamowity, gdy się jechało zdemobilizowaną wojskową furgonetką przez zielony tunel topoli i wierzb, szosą przecinającą bezkresne, nieruchome jezioro... Tylko pojedyncze drzewa sterczały z lustra wody, czasem jakiś opustoszały budynek, gdzieniegdzie rdzewiejący złom porzuconych armat, czołgów czy wozów pancernych. Jedno olbrzymie działo – „gotowe do strzału!", jak ostrzegali mieszkający tam ludzie – stało w jakiejś wioseczce pośrodku drogi. Sznur służący do odpalania był szczęściem urwany, ale na wszelki wypadek czynnymi jeszcze pokrętłami ustawiliśmy lufę tak, aby pocisk poszedł gdzieś w otwarte morze, a nie między chałupy – gdyby, przypuśćmy, dzieciom udało się do resztki spustu jakiś szpagacik uwiązać.

Odwodnienie Żuław, osuszenie gruntów, przywrócenie ziemi zdolności rodzenia – to był potem zryw i wyczyn społeczny na miarę odbudowy zdruzgotanego miasta! Bez maszyn melioracyjnych przecież, bez należytego transportu i wyżywienia mogącego w pełni wyrównać tytaniczny trud – młodzież (bo ona głównie chwyciła za szpadle i pługi) w niewiarygodnie krótkim czasie dokonała dzieła ratowniczego. I dlatego dziś, patrząc na zwykłe, banalne kłosy zboża w tym zakątku kraju, powinniśmy na nie patrzeć z takim samym podziwem, jak na odbudowane opodal w Gdańsku, urzekające wspaniałością dzielnice miasta.

A Gdańsk mamy tuż – tuż.

When I first saw this area, it was not fertile, for it was only a few days after the end of the war and not long after the Nazis, retreating before the Red Army and Polish Army (and also our tank unit named after the Heroes of Westerplatte) had committed the criminal act of destroying the dams along the canals and the area called Żuławy (The Fens) was flooded. It was a nightmarish scene that met our eyes, as we drove through a green tunnel of poplars and willows in an old army van emerging to see a vast, still lake under which the road had disappeared. . . Here and there a single tree protruded from the surface of the water, sometimes an abandoned building, and looking round we saw the rusty remains of abandoned guns, tanks or armoured cars. One huge gun "All ready to fire!", as we were warned by the local people, stood in the middle of the road in one of the villages. The cord for igniting the charge was fortunately torn off, but we turned the handwheels that were still working to point the barrel away from the cottages towards the open sea, just in case some small boy managed to tie a bit of string to what remained of the trigger.

The draining of the Fens, drying out the soil and restoring its fertility – this was the terrific job done later by a great voluntary effort equal to the rebuilding of a devastated town. For there were no melioration machines, no proper transport and the food rations were not adequate to replace the energy needed by the colossal toil undertaken by the young people (for they were the main force that put hand to spade and plough) who did the rescue job in an unbelievably short time. And that is why, looking today at the ordinary fields of corn in this part of the country, we should look at them with the same admiration as we feel on seeing the magnificent buildings of nearby Gdańsk that have been raised again from ruins.

And we have nearly reached Gdańsk.

Jeśli bowiem popłyniemy ku morzu nie Nogatem lecz Wisłą główną i tuż przed ujściem do Bałtyku skręcimy ostro w lewo Motławą, Radunią, wnet zawiśnie nad nami charakterystyczny hełm prastarego zbożowego dźwigu, Żurawia, będziemy u nabrzeży ogromnego, bogatego, starego miasta Gdańska. Na jego straży wznosi się wyniosły pomnik Bohaterów Westerplatte.

For if we continue on our way to the sea, not by the Nogat but along the mainstream of the Vistula and turn sharp left along the river Motława and the Radunia just before we get to the mouth of the Vistula, we shall soon see the characteristic overhanging silhouette of the old corn wharf crane (*Żuraw* in Polish), which means we have arrived in the great, wealthy old town of Gdańsk. It is guarded today by the noble Monument to the Heroes of Westerplatte.

Akurat kiedym przystępował do zbierania materiałów, potrzebnych przy pisaniu tej gawędy, nadesłali mi zaprzyjaźnieni Państwo Maria i Andrzej Szypowscy swój przepyszny – wydany przez „Sport i Turystykę" – album *Gdańsk,* gdzie piórem autorki oraz aparatem fotograficznym autora został stworzony zwarty, ale bardzo wszechstronny przegląd wartości miasta. W Gdańsku właśnie, latem 1980 roku robotnicze siły dały impuls do naprawy Rzeczypospolitej.

At the time when I was collecting the material I needed for my tale of the Vistula, my friends Maria and Andrzej Szczypkowski sent me their beautiful picture book entitled *Gdańsk,* in which the pen of the authoress and the camera of the author have produced a comprehensive review of the things of value and interest in this town. Here in Gdańsk in the summer of 1980, the workers forces gave an impulse to an improvement of Poland.

Aby zaś czytelnikowi ukazać i patos i rozmach całego zjawiska, jakie stanowi ów port i gród, sięgnę – już przedtem przecież używając cudzych tekstów – sięgnę po prostu po wstęp do księgi Szypowskich, przedmowę świetnego pisarza, Wojciecha Żukrowskiego, który tak pisze:

„Gdańsk... Ta nazwa przywołuje jakby dźwięk basowy dzwonu. I zaraz jawi się pod przymkniętymi powiekami zgęstniała woda, a nad nią nachylony zębaty profil Żurawia, małe okienka spichrzów, kamienice, których kształty uformowała przydatność dla wykonywanych tu zawodów i bogactwo ich mieszkańców.

Ślizga się metaliczny połysk po fali Wisły, Motławy, Raduni. Może to odbicie gnieźnieńskich drzwi? Owa na wieki odlana w brązie chwila, gdy święty Wojciech łodzią przez Chrobrego daną przybijał do portowego pomostu nadbałtyckiej strażnicy, kiedy zoczył słowiańskie, polskie miasto Gdańsk. Urbem Gyddanyzc – jak to w tysiącznym roku żywotopis kunsztownym duktem na pergaminie napisał.

Młoda ręka wygrzebuje z piasku sczerniałe, strawione ogniem bierwiono. Czy to ślad pogorzeli roku czterdziestego piątego? Czy tamtej pory sprzed siedmiu stuleci, z Łokietkowej doby, kiedy krzyżackie knechty Gdańsk spalili, a słowiańską, polską ludność wysiekli?

Każde miejsce tutaj mówi o przeszłości i o jutrze. Oto rozparty szeroko ogrom kościoła Najświętszej Marii Panny. Łapa w kowanej rękawicy, stalowa łapa krzyżacka nie zezwalała, by wieże wystrzeliły ponad warowny zamek Zakonu, który winien strzec i górować, samym widokiem napominać mieszczan do uległości. Ale nie byli do niej skłonni, łatwo odkładali wagę i łokieć, by sięgnąć po topór i miecz. Wyzwolili się z jarzma. I rzecz wtedy pierwsza: zamczysko wroga rozebrali na cegły, kamienie, drzazgi. A wieżę mariacką wynieśli, wydźwignęli ku chmurom, by ją z daleka widział każdy ku Gdańskowi dążący. Los znów związał gdańszczan nacji rozmaitych z polskim królem i polską ziemią. Nie, to nie los, w tym pojęciu kryje się fata-

And to give the reader an idea of the greatness and dynamism that go to make up the whole phenomenon of the port and town, I will again – as before – quote the words of others, this time from the introduction to the Szczypkowskis' album by the well-known writer Wojciech Żukrowski, who says:

"Gdańsk. This name seems to evoke the deep sound of a bell. And if you close your eyes you can see emulsive water and leaning over it the serrated silhouette of the old wharf crane, the little windows of the granaries and houses that were shaped to suit the trades and the wealth of the townspeople. The waters of the Vistula, the Motława and Radunia have a metallic gleam here. Can it be the reflection of the Gniezno doors? That moment, cast in bronze to last through the ages, when St. Adalbert, in a boat given him by Boleslaus the Brave, came into port and stepped upon the landing stage of this watch-tower of the Baltic, when he beheld this Slav town, the Polish town of Gdańsk. *Urbem Gyddanyzc* – as the writer of the life of the saint wrote in letters of great artistry on parchment in the year 1000.

"A young hand delving in the sand pulls out a charred, fire-blackened log. Is it a trace of the fires of 1945, or is it from the time, seven centuries back, during the reign of King Ladislaus the Short, when the Teutonic *Knechts* set fire to Gdańsk and hacked down the Slavs, the Polish inhabitants? Every place here speaks of the past and of the morrow. Here is the massive Church of St. Mary. The iron-clad paw, the steely Teutonic fist did not allow the towers to rise above the fortified castle of the Order, which was to guard and dominate, by its very appearance forcing the townspeople into submission. But they were not submissive and readily left their scales and yardsticks to reach for the axe and the sword. They freed themselves from the yoke. And the first thing they did was to dismantle the castle of the enemy brick by brick, stone by stone, splinter by splinter. And they erected the tower of St. Mary's, rising high towards the clouds, so that everyone could see it on approaching Gdańsk. Fate again linked the people of Gdańsk of various nationalities with the Polish king and the Polish land. No,

lizm dziejów od woli człowieczej nie zależny. Oni świadomie wybierali, wiązali życie własne i swoich dzieci z władaniem Polski nad ujściem Wisły.

Białe orły tu miały swoje gniazda, widniały na bramach, wieżach, ścianach. Nie narzucone, nikt ich tu przemocą nie osadzał. To sami gdańszczanie je odkuli w kamieniu i żelazie. Na znak. Świadomi, komu zawdzięczają i zamożność, i wolność, bo tę im zapewniała tylko Rzeczpospolita. Źródłem ich bogactwa była Polska pszeniczna, szkuty ładowne, sunące z nurtem wiślanym, pośredniczenie w handlu w obie strony, z Krakowa, Sandomierza, Warszawy, Płocka, Torunia i ze świata, z Bałtyku na południe.

Nigdy gdańszczanin nie czuł wspólnoty z Prusakami. Nawet w dobie rozbiorów miasto nie chciało zdradzać Polski. I w języku niemieckim przyznawało się do związków życiodajnych z okrawanym królestwem polskim.

Poznał odpór Gdańska Fryderyk chciwiec Wielki, którego przepływające tędy bogactwo jakże kusiło, dobrać się do tych zasobnych sepetów, skrzyń okutych, gdzie drzemały złote dukaty i tyleż warte rewersy z pieczęciami, mieć te pieniądze i znowu urwać szmat ziemi z bezbronnego ciała Rzeczypospolitej. Wystawić z tych rosłych chłopów pomorskich jeszcze jeden bitny regiment, żeby ulegając żelaznej dyscyplinie i wyszczekiwanym rozkazom, strzegł zrabowanego mienia. Dwadzieścia jeden lat trwała pruska blokada wokół Gdańska. Posterunki wokół miasta. Fryc zaciskał obręcz. Dwadzieścia jeden lat oporu! Aż przy trzecim rozbiorze Polski Prusy wzięły i ten łup.

Jakże łatwo w naszym stuleciu niektórzy dawali sobie wmówić, że Gdańsk, ten dawny, który pożoga wojny zamieniła w sterty okopconych gruzów, miał oblicze niemieckie. A przecież – jak w każdym porcie bałtyckim – i na to polskie hanzeatyckie miasto – kładli swoje piętno Flamandowie, Walonowie, Francuzi, Duńczycy, nawet Szkoci i Anglicy, i oczywiście Niemcy. Nie odbieram im zasług. Ale nie było to miasto pruskie z ducha. Poza krótkim okresem hitlerowskiego szaleństwa. Zaprzańcy

it was not fate, for this word suggests the fatalism of happenings beyond the control of man. They made a conscious choice, linking their lives and those of their children with the rule of Poland over the mouth of the Vistula.

"The white eagles had their nests here, they were on the gates, the towers, the walls. They were not imposed upon Gdańsk, there was no force used here. The people of Gdańsk themselves fashioned them in stone and iron. It was a sign. A sign that they knew whom they owed their wealth and freedom to, for only the Commonwealth guaranteed this. The source of their wealth was Polish wheat, the loaded boats plying the Vistula, the function of middle-man in trade in both directions, from Cracow, Sandomierz, Warsaw, Płock, Toruń and from the world, from the Baltic to the south. The people of Gdańsk never felt any community with the Prussians. Even in the times of the partitions the town did not want to betray Poland. And in the German language acknowledged its life-giving union with the truncated Polish Kingdom.

"Frederick the avaricious Great met with stubborn resistance from Gdańsk, when, tempted by the wealth that flowed through the city, he wanted to help himself to the contents of the rich coffers, the iron-bound chests in which gold ducats and equally valuable vouchers were stowed away, when he coveted this money and wanted to cut another piece off the helpless corpus of the Commonwealth. When he wanted to form another militant regiment from the stalwart Pomeranian peasants who, subjected to iron discipline and barked orders, were to guard the plundered prize. The Prussian blockade of Gdańsk lasted twenty-one years. *Fritz* tightened his vice-like grip. Twenty-one years of resistance! Until, with the third partition of Poland, Prussia finally seized this booty, too.

"How easily in our present century some were persuaded that Gdańsk, the old city that the flames of war reduced to a heap of blackened ruins, was intrinsically German. But – like every Baltic port – the Flemings, Walloons, French, Danes, even Scots and Englishmen and, of course, Germans, all left their mark on this Polish city of the Hanseatic League. I will not deny their merits. But this town was not

jednak, którzy świętokradczą rękę wyciągnęli przeciw Polsce, poginęli, odeszli precz.... Wszystko, co odtwarza architekturę dawnego Gdańska, wzniosły, wypieściły polskie ręce. Gdańskie ręce. Trzeba to miasto bardzo kochać, żeby je tak pieczołowicie odbudować, zestawić rozbite kamienie, przywrócić piękno starych domów.

Na wieży Ratusza znowu stanął strącony ze szczytu król Zygmunt August. A przecież Ratusz groził zawaleniem. Trzeba było nie lada sztuki, mozołu i rozmiłowania, żeby go do dzisiejszej świetności przywrócić. W nim klejnot prawdziwy: Sala Czerwona, a na jej suficie stare malowidło z orłem białym osłaniającym miasto. I napis – przekonanie, że pod tymi skrzydły służy wszelaka pomyślność. Tak myśleli przed wiekami gdańszczanie, gdy tu gościli polskich władców. A królowie przybywali, by jedność poświadczyć Gdańska z Polską. Polski z Gdańskiem.

Mądrzy władcy wagę tego zespolenia dobrze pojmowali. Rodziło to różne owoce na czas daleki. Król Jan III Sobieski znakomitemu gdańskiemu astronomowi Heweliuszowi wyznaczył pensję ze swojej szkatuły. A ten, czyniąc mapy nieba, jeden z gwiazdozbiorów nazwał Tarczą Sobieskiego. I tak zostało na zawsze, nawet wtedy, kiedy Polski na mapach ziemskich zabrakło.

Syn tej ziemi, który w Gdańsku pobierał nauki, Pomorzanin Józef Wybicki ułożył słowa pieśni Legionów, które po dziś są hymnem narodowym: «Jeszcze Polska...». Urodził się «we wsi dziedzicznej nazywanej Będomin – jak sam zapisał – 5 mil od Gdańska». Ta ziemia go uczyła. Wpoiła umiłowanie tego, co polskie, i gotowość do obrony niepodległości. Zresztą i ojciec jego był taki, choć listy pisywał po niemiecku, i sam jenerał Dąbrowski, choć po niemiecku wydawał komendy...

Prussian in spirit. Apart from the short period of Nazi madness. But the traitors who raised sacrilegious hands against Gdańsk have perished have decamped... Everything that has contributed to the restoration of the architecture of old Gdańsk has been built and fondled by Polish hands, the hands of the people of Gdańsk. One must love a city very much to put so much painstaking work into its reconstruction, to put the broken stones together and restore the beauty of the old buildings.

"Once more King Sigismund Augustus stands on the tower of the Town Hall, whence he was cast to the ground. And we know that the Town Hall was in danger of collapsing. What skill, what an arduous labour of love it was to restore it to its former splendour, as we see it today. And inside, there is a real gem – the Red Chamber, and on its ceiling the old painting with the white eagle shielding the town and the inscription that under these protecting wings Gdańsk will prosper. This was the conviction of the people of Gdańsk centuries ago when Polish kings were guests of the town. And the kings came to testify to the unity of Gdańsk with Poland, Poland with Gdańsk.

"Wise rulers understood well the importance of this union. And in olden times it bore many fruits. King John Sobieski paid the outstanding Gdańsk astronomer Hevelius a salary from his own purse. And the astronomer, drawing a map of the heavens, named one of the constellations the Shield of Sobieski. And so it remained, even after Poland had been erased from the maps of the world. A son of this region, who was educated in Gdańsk, the Pomeranian Józef Wybicki, composed the song of the Legions, which to this day is the national anthem of Poland. *While we live she is existing...* He was born in his ancestral heritage, the village of Będomin, which – as he wrote himself – was five miles from the land he lived on, which imbued him with a love of all that was Polish and a readiness to defend Poland's independence. His father felt the same way, although he wrote letters in German, and so did General Dąbrowski, although he gave orders in German...

A potem przez półtora wieku tysiące i dziesiątki tysięcy tych, którzy osaczeni przymusem pruskim, terrorem hitlerowskim zachowali polskie serca, płacąc za to krwią. Tych, co zostali pomordowani, tych, co konali długo, tych, co byli głodzeni, zmuszani biciem do bydlęcego trudu. Pobliski Konzentrationslager Stutthof, piece krematoryjne, ziemia z łuskami niedopalonych kości dają świadectwo męczeństwa...

Czy mam wam mówić o rozstrzelanych obrońcach Poczty Gdańskiej? Przecież mogli się ewakuować, zanim padły strzały zaczynające drugą wojnę światową. Naczelnik powiedział podwładnym: kto chce, może odejść. A harcerz Alf Liczmański, komendant Chorągwi Gdańskiej. Kiedy mu sygnalizowano niebezpieczeństwo, doradzano «odskocz w bezpieczne miejsce» – odpowiedział prosto: «Jeślibyśmy wszyscy Polacy opuścili Gdańsk, to kto świadczyłby o jego polskości...». Został przez hitlerowców wzięty, katowany, rozstrzelany. Dał świadectwo, które i nam przypomina, nas także zobowiązuje.

Pochylmy głowy. W tej minucie milczenia niech w każdym z nas narodzi się myśl o Polsce, o wielkim zbiorowym trudzie, o cierpliwym budowaniu powszechnej historii naszego narodu, i to w nowym kształcie, o spełnianiu ambicji i marzeń.

Westerplatte – symbol trwania i męstwa. Major Sucharski i jego nieliczni żołnierze... Gromy walące z najcięższych dział pancernika «Schleswig-Holstein», który przypłynął z przyjacielską wizytą... Siedem dni najbardziej zawziętej obrony. Stu osiemdziesięciu dwóch żołnierzy przeciw trzem i pół tysiącom wspartym sześćdziesięcioma pięcioma armatami. Bombardowanie lotnicze. Pożary. Odpieranie ataków.

W parę minut wycieczka ten zadrzewiony kawałeczek portu przemierza. I tego Niemcy nie mogli przez tydzień zdobyć, mając taką przewagę? To rozbawionym młodzikom w głowie się nie mieści...

"And in later times, for a century and a half, thousands, tens of thousands, held at bay by Prussian force and then the terror-tactics of Hitler, kept their Polish hearts, paying the price of their blood for this. These people were murdered, died slowly from starvation, or were forced by the whip to work like the beasts of the field. The nearby *Konzentrationslager Stutthof,* with its crematories, fragments of partly burnt bones in its soil, is a testimony to this martyrdom...

"Am I to tell you about the defenders of the Gdańsk Post Office who were shot down? After all, they could have evacuated before the first shots were fired, beginning the Second World War. The postmaster told his staff that anyone who wanted to leave could do so. And Alf Liczmański, scoutmaster of the Gdańsk Troop, who, when he was warned of the danger and advised to get away to a safe place, answered that if all the Poles left Gdańsk, who would be left to testify that it was a Polish town. He was taken by the Nazis, tortured and executed. He set an example that reminds us what our duty is.

"Let us bow our heads in a moment of silence and think of Poland, of the great collective effort, the patient toil to build the modern history of our nation, giving it a new shape in which ambitions and dreams can be realized.

"Westerplatte, a symbol of persistence and martyrdom. Major Sucharski and his handful of soldiers.... Bombarded by the biggest guns of the warship *Schleswig-Holstein,* which came there on a friendly visit... Seven days of stubborn defence. One hundred and eighty soldiers against three and a half thousand, supported by sixty-five guns, bombs from the air. Raging fires, the repulsion of attacks.

"An excursion can see round this tree-planted sand-bar of the port in a few minutes. The Germans could not take it for a whole week, even with their greatly superior forces...

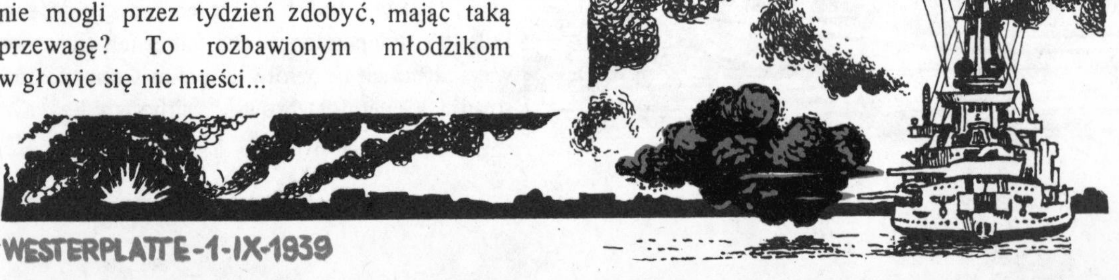

[...] Wstąpcie do kaplicy kościoła Mariackiego, gdzie upamiętniono śmierć trzech prawie tysięcy księży polskich. Pomordowali ich obrońcy Europy, kulturtraegerzy... Ci księża zginęli za to, że byli Polakami, że siali nadzieję.

Czy wiecie, że tu o polskość walczyło zawsze słowo i wizja pisarza? Książka polska drukowana była w Gdańsku od pięciuset lat. Tylu miała obrońców, iż «Krzyżaków» Sienkiewicza wydano równocześnie w Warszawie i w tymże roku w Gdańsku [...]

W latach wcielenia do Prus, do Rzeszy Niemieckiej Gdańsk gospodarczo zamiera, tętno przeładunków słabnie. Nie pomogą przemarsze Hitlerjugend z werblami i fanfarami, potrząsające grzywą pochodni, jakby im spieszno było podpalić całą Europę, cały świat... Młodych rychło ubędzie, front ich wessie i zmiele. W miejsce przemysłu powstanie złowroga fabryczka profesora Spannera, którą opisze świadek historii Zofia Nałkowska, biorąca [jako literatka i Polka – SK] udział w dochodzeniu przeciw zbrodniom hitlerowskim. Kadzie z porąbanymi zwłokami, kotły do wygotowywania ludzkiego tłuszczu na mydło. I to też jest skamieniała w grozie cząstka prawdy o latach okupowanego Gdańska.

Ostatnie miesiące okupacji. Hitler każe bronić każdego skrawka ziemi. Kolejno skazuje miasto po mieście na zniszczenie. Wojska 2. Frontu Białoruskiego uderzają na Niemców trzymających Gdańsk. I wojna wraca tam, skąd na świat bluznęła rzeką krwi i ognia.

Walki toczą się na ulicach, zabytkowe domy płoną, rozdeptane obstrzałem ciężkiej artylerii. Pancerniacy z brygady [czołgów] imienia Bohaterów Westerplatte [znani nam ze Studzianek – SK] zatykają na Wybrzeżu polski sztandar. Żołnierz przywraca ład w historii tego miasta.

Ocierając kułakiem łzy, które znaczą jasny ślad na okopconych policzkach, śpiewają nasi żołnierze «Rotę» przed Dworem Artusa. Dziś słyszymy w tej melodii dalekie echo owego śpiewu. Kiedy wydzwania ją carillon z wieży Ratusza, poświęćmy bodaj jedną myśl tym, którzy nam to miasto przywrócili...

"Let us visit the chapel in St. Mary's Church, where there is a memorial to nearly one thousand Polish priests. They were murdered by the defenders of Europe, the *kulturträgers*... The priests died because they were Polish, because they gave heart to the faithful. Did you know that the struggle to stay Polish was always carried on by writers, in word and vision? Polish books were printed in Gdańsk for five hundred years. They had so many, defenders, that Sienkiewicz's novel *The Teutonic Knights* was published simultaneously in Warsaw and Gdańsk in the same year...

"In the times when it was incorporated into Prussia, into the German Reich, Gdańsk went into economic decline, the pulse of the port weakened as less cargo was unloaded. The *Hitlerjugend,* marching through the town to the sound of drums and fanfares, waving lighted torches, as though they couldn't wait to set fire to Europe, to the whole world, did not bring any improvement. The young men were soon to depart, absorbed and crushed by the front. Industry was replaced by the ominous factory of Professor Spanner, described by Zofia Nałkowska, a witness of history, who participated [as Polish woman and writer, S.K.] in the investigations of Nazi war crimes. Vats with dismembered bodies, cauldrons for boiling human fat for making soap. This too is another horrible, petrifying truth of the years of Nazi occupation in Gdańsk.

"The last months of occupation. Hitler ordered that every inch of ground be defended to the last. Town after town was doomed to destruction The soldiers of the Second Byelorussian Front attacked the German forces holding Gdańsk. And the war returned to the place from which a river of blood and fire burst forth into the world.

"There was fighting in the streets, historic buildings were enveloped in flames, or shattered by the shells of the heavy artillery. Then the tankmen of the Heroes of Westerplatte Brigade hoisted the Polish flag on the coast. Our soldiers restored order in the history of the town. Fists are lifted to wipe away the tears that leave light furrows on soot-blackened cheeks, our soldiers are singing the *Rota* in front of the burnt out Artus Court. Today the melo-

Gdańsk wtedy wyglądał jak porąbane cmentarzysko. Trzeba było mieć dużo odwagi, żeby tu ściągnąć, morze zapału i wielką wyobraźnię, by postanowić: tu zacznę nowe życie. I młodzi mieli. Pracowali i uczyli się. Ruszały pierwsze prymitywne maszyny w odgruzowywanych warsztatach i ożyła Politechnika Gdańska. Wtedy studenci spali pokotem w półspalonych salach wykładowych. Dziś w Gdańsku pracuje sześć wyższych uczelni.

Z dna nieszczęścia, jakie na Gdańsk ściągnął hitleryzm, nasze przywiązanie wskrzesiło miasto, nakazało odtworzyć jego dawną urodę. Gdańska starówka narodziła się jednocześnie z warszawskim Starym Miastem. [...]"

I tak oto dopłynęliśmy od podwójnych źródeł Wisły aż do jej ujścia, czy raczej ujść, gdzie podtrute – niestety – wody śródlądowe mieszają się z tak samo skażonymi falami Bałtyku. Nie takie jednak przeciwności losów potrafiło się u nas przezwyciężać! Jestem optymistą, bo właśnie w Gdańsku uchwalono w gronie pozostałych użytkowników tego wąskiego morza, jakim sposobem i w jakich terminach przywróci się jego wodom dawny stan, a i o uzdrowieniu Wisły myśli się coraz konkretniej.

dy brings back distant echoes of their singing, when the carillon in the Town Hall rings it out. Let us devote a moment's thought to those who regained the town for us...

"Gdańsk then looked like a shattered cemetery. It needed a lot of courage to come here and boundless enthusiasm and great imagination to take the decision to begin life again here. The young people had all this. They worked, studied. The first primitive machines were set in motion in workshops dug out of the ruins and the Gdańsk Technical University came to life again. In those days the students slept side by side in partly burnt lecture rooms. Today Gdańsk has six university level schols.

"Our love for the town has raised it from the depths into which it was plunged by Nazism; it has been raised from the dead and its former beauty restored. The Old Town of Gdańsk was reconstructed simultaneously with the Old Town of Warsaw."

And so we have sailed right down the Vistula, from its double source to its mouth, or should I say mouths, where the inland waters – unfortunately polluted – flow into the waves of the Baltic that are just as polluted as the rivers. But we have proved ourselves capable of dealing with greater reverses of fortune! I am an optimist, because precisely in Gdańsk we had a conference with the other users of this narrow sea, which adopted decisions as to how and when its waters could be restored to their former condition. And the plan for curing the Vistula is beginning to take shape.

Dopłynęliśmy, ledwie zatrąciwszy o tematy związane z rzeką. Nie opowiedziałem o mnóstwie spraw. Gdzież bowiem opis cudownego dzieła Wita Stwosza w krakowskim kościele Mariackim? Gdzie historia przedwojennego związku Polaków w III Rzeszy i ich znaku zwanego Rodłem? Był to zygzak podobny do litery S z zaznaczonym u dołu punktem, co symbolizowało właśnie kształt Wisły i prastary nad nią Kraków. Nie wspomniałem także o innych ciekawostkach, przygodach, wydarzeniach komicznych i poważnych, o sporach i walkach wielu, o miastach i miasteczkach nie mniej zapewne interesujących, niż opisane. Nawet tematy, którem poruszył, jakże dalekie zostały od pełni! Na dobrą sprawę należałoby, wziąwszy się do problemu pod nazwą Wisła, dać olbrzymią, pełną opasłych tomów bibliotekę; jeślim jednak poważył się na ten tekst, to po to, by był on potraktowany jako lapidarny wstęp do zagadnienia, jako – być może – zachęta, aby Czytelnik spróbował sam, naocznie, a co najmniej w lekturach, przekonać się o pięknie, znaczeniu i wymowie zjawisk przynależnych Wiśle i temu, co i jak się dzieje w całym wiślanym kraju. A więc do zobaczenia na wędrówce wzdłuż rzeki!

We have come the whole length of the river and have only just managed to cover a small part of the subjects connected with the river. There are so many things I have not mentioned. A description is lacking of the marvellous altarpiece by Wit Stwosz (Veit Stoss) in St. Mary's Church in Cracow. I have not told the history of the pre-war Union of Poles in the Third Reich and their emblem, called *Rodło*. It was a zig-zag resembling the letter "S" with a dot at the bottom, symbolizing the course of the Vistula and the old town of Cracow on its bank. Nor have I mentioned other things of interest, adventures and happenings, both comic and serious, many conflicts and battles, towns and townships certainly no less interesting than those I have described. I have not even been able to deal fully with the subjects I have touched upon. Actually, in tackling the subject of the Vistula, one would have to produce a whole library of thick volumes. And if I have made so bold as to take it as the subject of my tale, it is with the hope that it will serve as a short introduction to the subject and perhaps an encouragement to the reader to explore for himself, to see for himself and at least seek further information in books, to find something of the beauty and significance of everything along the Vistula, to learn what has happened and is happening in the whole of the land on the Vistula. So, till we meet again, on another trip down the river!

Tysiąc dziewięćset dziewięćdziesiąta pierwsza publikacja Wydawnictwa Interpress

This is the one thousand nine hundred and ninety-first publication of Interpress

Książka ukazuje się w wersji polsko-angielskiej i polsko-niemieckiej

This book appears in Polish-English and Polish German versions

Printed in Poland

Printed in Poland

ISBN 83-223-1991-6

ISBN 83-223-1991-6

WYDAWNICTWO INTERPRESS – WARSZAWA 1984

Wydanie I. Nakład 29650 + 350 egz. Format 190 x 240 mm
Ark. wyd. 15,5. Ark. druk. 9,25. Papier offset imp. III kl., 90 g 82 X 104.
Zam. 355/84

ROBOTNICZA SPÓŁDZIELNIA WYDAWNICZA „PRASA–KSIĄŻKA–RUCH"
ZAKŁADY FOTOPOLIGRAFICZNE – RUDA ŚLĄSKA